ANDRÉ BENDJEBBAR

LA RÉVOLUTION FRANÇAISE

Préface de Michel Vovelle

André Bendjebbar est professeur agrégé de l'Université et chercheur
à l'Institut de la Révolution française.
Il est l'auteur d'une *Histoire de France* et d'une *Vie quotidienne en Anjou
au XVIIIe siècle* (Hachette).

HACHETTE
Éducation

Sources et crédits photographiques

pp. 4-5 : horloge à longitude, musée national des Techniques, ph. CNAM ; Louis XVI couronné à Reims, bibliothèque de l'Arsenal, ph. Hachette.

pp. 6-7 : bienfaisance, bibliothèque de l'Arsenal, ph. Hachette ; le dauphin labourant, bibliothèque de l'Arsenal, ph. Hachette ; Place Gralin, Musée Dobrée, Nantes, ph. Hemon.

pp. 8-9 : moulin à papier, musée national de l'Education, Rouen, ph. J.L. Charmet ; expérience aérostatique, bibliothèque de l'Arsenal, ph. Hachette ; toile de Jouy, musée des Arts Décoratifs, ph. Hachette ; port de Nantes, musée Dobrée, Nantes, ph. Hemon.

pp. 10-11 : masque, musée national des Techniques, ph. CNAM ; laboratoire de chimie, musée national des Techniques, ph. CNAM ; *Encyclopédie*, planche VII, ph. Hachette.

pp. 12-13 : les nouvellistes, bibliothèque de l'Arsenal, ph. Hachette ; Turgot, portrait école française XVIIIe, Versailles, ph. Josse ; séance au Parlement, gravure d'époque par Nicquet, Carnavalet, ph. Bulloz.

pp. 14-15 : indépendance des E.U., musée de l'Entente franco-américaine, Blérencourt, ph. Muller, cl. Hachette ; volontaires français, peinture anonyme XVIIIe, ph. J.L. Charmet, cl. Hachette ; Yorktown, peinture d'A. Couder, Versailles, ph. Josse, cl. Hachette.

pp. 16-17 : carte relative à l'orage, ph. Archives nationales ; gravure patriotique, musée Dobrée, Nantes, ph. Hemon.

pp. 18-19 : Necker, gravure d'époque, ph. Hachette ; Lit de justice, ph. Josse ; cahier de doléances, ph. Hachette.

pp. 20-21 : Sieyès, B.N. Estampes, ph. Hachette ; patience Margot, gravure populaire, ph. musées de la Ville de Paris, © Spadem ; cahier de doléances, ph. Hachette.

pp. 22-23 : Monsieur des 3 états, ph. musées de la Ville de Paris, © Spadem ; ouverture des États généraux, peinture d'après Moret, B.N., ph. Bulloz ; discours, ph. musées de la Ville de Paris, © Spadem.

pp. 24-25 : Aux trois réunis, gravure XVIIIe, ph. musées de la Ville de Paris, © Spadem ; Mirabeau, pastel de J. Boze, Versailles, ph. Josse, cl. Hachette ; serment du Jeu de Paume, Carnavalet, ph. Josse.

pp. 26-27 : Desmoulins, gravure de Berthault, B.N., cl. Hachette ; événements du 12 juillet, bibliothèque de l'Arsenal, ph. Hachette.

pp. 28-29 : Humbert et Harné, ph. musées de la Ville de Paris, © Spadem ; cocarde, bibliothèque de l'Arsenal, ph. Hachette ; prise de la Bastille, gravure XVIIIe, ph. musées de la Ville de Paris, © Spadem.

pp. 30-31 : pillage de châteaux, gravure XVIIIe, Carnavalet, ph. J.L. Charmet ; pillage de l'Hôtel de Ville de Strasbourg, B.N. Estampes, ph. Hachette.

pp. 32-33 : un paysan et son curé, bibliothèque de l'Arsenal, ph. Hachette ; nuit du 4 août, B.N., ph. Josse.

pp. 34-35 : allégorie chapeautant une déclaration des droits de l'homme, musée de l'Histoire vivante, Montreuil, ph. J.L. Charmet ; la démocrate tenant les droits de l'homme, ph. musées de la Ville de Paris, © Spadem ; déclaration des droits de l'homme, Carnavalet, ph. Josse.

pp. 36-37 : marche sur Versailles, réunion des Musées nationaux, © Spadem ; femmes à l'assemblée, gravure, réunion des Musées nationaux, © Spadem.

pp. 38-39 : club patriotique, gouache de Lesueur, ph. Josse ; cl. Hachette ; française devenue libre, ph. musées de la Ville de Paris, © Spadem ; machine de M. Guillotin, bibliothèque de l'Arsenal, ph. Hachette.

pp. 40-41 : débit de sel, ph. musées de la Ville de Paris, © Spadem ; vente du sel, coll. bibliothèque de l'Assemblée nationale, ph. Hachette ; le roi à l'Assemblée nationale, ph. musées de la Ville de Paris, © Spadem.

pp. 42-43 : la nation, la loi, le roi, ph. musées de la Ville de Paris, © Spadem ; confédération de Dijon, gravure XVIIIe, ph. musées de la Ville de Paris, © Spadem ; serment fédératif, B.N. Estampes, ph. Hachette.

pp. 44-45 : éventail, ph. musées de la Ville de Paris, © Spadem ; brûlement..., coll. bibliothèque de l'Assemblée nationale, ph. Hachette.

pp. 46-47 : Pierre Dequesne, coll. bibliothèque de l'Assemblée nationale, ph. Hachette ; Rousseau, gravure XVIIIe, B.N., ph. Josse ; assignats, ph. musées de la Ville de Paris, © Spadem.

pp. 48-49 : séance aux Jacobins, Carnavalet, ph. Bulloz ; arbre de la liberté, ph. musées de la Ville de Paris, © Spadem.

pp. 50-51 : déclaration des biens du clergé, coll. bibliothèque de l'Assemblée nationale, ph. Hachette ; prêtres patriote et réfractaire, gravures XVIIIe, bibliothèque de l'Arsenal, ph. Hachette.

pp. 52-53 : arrestation, gravure XVIIIe, B.N., ph. J.L. Charmet ; exécution à Strasbourg, bibliothèque de l'Arsenal, ph. Hachette.

pp. 54-55 : émeutes du 17/7/1791, gravure XVIIIe, B.N., ph. J.L. Charmet ; Danton, peinture école française XVIIIe, Carnavalet, ph. Josse, cl. Hachette ; club des Cordeliers, Archives nationales, ph. Hachette.

pp. 56-57 : Brissot, portrait, Carnavalet, ph. Bulloz ; bombe nationale, gravure XVIIIe, bibliothèque de l'Arsenal, ph. Hachette.

pp. 58-59 : Marseillaise, B.N. Estampes, ph. Bulloz ; prise des Tuileries, gravure XVIIIe, B.N., ph. Bulloz.

pp. 60-61 : affiche, coll. bibliothèque de l'Assemblée nationale, ph. Hachette ; la royauté anéantie..., gravure XVIIIe, ph. musées de la Ville de Paris, © Spadem ; massacres de septembre, Carnavalet, ph. J.L. Charmet ; mort de la princesse de Lamballe, Carnavalet, ph. Bulloz.

pp. 62-63 : Valmy, *Le petit Journal*, 1792, ph. J.L. Charmet ; Affiche, coll. bibliothèque de l'Assemblée nationale, ph. Hachette ; la liberté, Carnavalet, ph. J.C. Charmet.

pp. 64-65 : donjon du Temple, aquatinte, B.N. Estampes, ph. Hachette ; famille royale, gravure XVIIIe, ph. Hachette ; Malesherbes, gouache de Lesueur, Carnavalet, ph. Josse, Cl. Hachette ; procès du roi, B.N., ph. J.L. Charmet.

pp. 66-67 : Vergniaud, Carnavalet, ph. Bulloz ; Marat, gouache de Lesueur, Carnavalet, ph. Josse, cl. Hachette ; Neerwinder, B.N., ph. J.L. Charmet.

pp. 68-69 : documents du musée Dobrée, Nantes, ph. Hemon, cl. Hachette.

pp. 70-71 : Saint-Just, David, coll. Duruy, ph. Bulloz ; Robespierre, école française XVIIIe, Carnavalet, ph. Bulloz ; affiche, ph. musées de la Ville de Paris, © Spadem ; Cours révolutionnaires, coll. bibliothèque de l'Assemblée nationale, ph. Hachette.

pp. 72-73 : le père Duchêsne, bibliothèque de l'Arsenal, ph. Hachette ; affiche, coll. bibliothèque de l'Assemblée nationale, ph. Hachette ; carmagnole, gravure XVIIIe, Carnavalet, ph. Hachette.

pp. 74-75 : documents sur les mesures, musée national des Techniques, ph. CNAM ; esclavage, gravure XVIIIe, bibliothèque des Arts décoratifs, J.L. Charmet.

pp. 76-77 : intérieur d'un comité révolutionnaire, gravure Fragonard Fils, B.N., ph. J.L. Charmet ; jugement, coll. bibliothèque de l'Assemblée nationale, ph. Hachette ; noyade de Nantes, B.N., ph. J.L. Charmet.

pp. 78-79 : guillotine, musée Dobrée, Nantes, ph. Hémon ; Danton conduit au supplice, dessin de souvenir, 1794, Wille le fils, Carnavalet, ph. Bulloz ; fête de l'Être suprême, rue de la montagne élevée au champ de la réunion, bibliothèque de l'Arsenal, ph. Hachette.

pp. 80-81 : arrestation Cécile Renault, B.N., ph. J.L. Charmet ; arrestation Robespierre, Carnavalet, ph. J.L. Charmet.

pp. 82-83 : les bonnes rouges, dessin d'enfant, XVIIIe, bibliothèque de l'Arsenal, ph. Hachette ; salle des Jacobins, ph. Josse, pacification en Vendée, gravure XVIIIe d'après Girardet, B.N., J.L. Charmet.

pp. 84-85 : place de l'apport (Châtelet), tableau de Naudet, Carnavalet, ph. Josse ; incroyables et merveilleuses, gouache de Lesueur, Carnavalet, ph. Josse, cl. Hachette.

pp. 86-87 : Bonaparte, image d'Épinal, bibliothèque de l'Arsenal, ph. Hachette ; charette, musée Dobrée, Nantes, ph. Hemon ; prise du Caire, B.N. Estampes, cl. Hachette.

pp. 88-89 : clés, Archives nationales, cl. Hachette ; affiche du film Danton, cl. M. Landi, © Spadem ; couverture de livre, cl. Hachette ; poids et mesures, gravure XVIIIe, Carnavalet, ph. Giraudon ; allégorie, ph. de Selva, cl. Hachette.

Fin d'ouvrage : jeu de l'oie, ph. musées de la Ville de Paris, © Spadem.

Pages de garde

Boutons décorés, d'époque révolutionnaire, musée d'Histoire vivante, Montreuil, ph. G. Poupard, cl. Hachette.

Remerciements

L'auteur remercie vivement toutes les personnes qui lui ont offert la possibilité de découvrir une iconographie rare ou inédite. Il tient à remercier Mesdames et Messieurs les Conservateurs et les membres du personnel de la Bibliothèque nationale, de la bibliothèque de l'Arsenal, du Sénat, du musée Carnavalet. Il adresse ses remerciements profonds à Mme Monnet, bibliothécaire en chef au Palais-Bourbon, Mme Cosneau, Conservateur adjoint au musée Dobrée de Nantes et à Mme Leconpte, documentaliste au musée de l'Histoire vivante de Montreuil.

Préface

La Grande Révolution

Il est urgent que les jeunes Français redécouvrent la Révolution française. Autrefois familière, cette histoire nous est devenue plus lointaine, à mesure que s'éloignait la mémoire. Et pourtant cet épisode est sans doute le plus fort de toute l'aventure séculaire des Français. « Temps légendaire de notre histoire », comme le définissait André Malraux ? Sans doute, si l'on entend par là ces combats immenses entre un peuple qui a décidé de s'affranchir des liens du passé et le vieux monde de l'Ancien Régime, dans sa résistance obstinée ; si l'on considère aussi ces personnalités hors du commun, nées de l'instant révolutionnaire lui-même, Mirabeau, Barnave, Danton, Robespierre ou Saint-Just.

Derrière la légende, on apprécie toutefois l'immensité de l'œuvre accomplie, par la conjonction, qui fait l'originalité de la Révolution française, de la bourgeoisie des Lumières, sûre de ses droits et des valeurs nouvelles dont elle est porteuse et du puissant mouvement populaire des villes et des campagnes. Rencontre éphémère ; vient le temps — l'alliance rompue — où la « Révolution est glacée ». Mais, dans son puissant élan de 1789 à 1794, la Révolution conquérante a eu le temps de formuler des proclamations, de rêver des « anticipations » sur lesquelles nous vivons encore. Et la retombée même de la flamme révolutionnaire ne remettra pas en cause ces acquis fondamentaux.

Proclamations : la fin de l'ancien Régime, fondé sur l'inégalité des ordres, sur le prélèvement seigneurial, sur l'arbitraire de la monarchie absolue. En contrepoint s'impose un discours qui dans la déclaration des droits du 26 août 1789 s'adresse à tous les hommes pour proclamer la Liberté et l'Égalité, la souveraineté du peuple, posant les bases d'une évolution vers la démocratie moderne. Car sur ces proclamations s'enchaînent les expériences d'un peuple qui, à travers les luttes les plus ardentes et une guerre sans merci contre l'Europe des princes, fait l'apprentissage de la politique par la presse, dans les clubs, dans le feu des journées révolutionnaires. Gigantesque expérience collective : la Révolution qui a rêvé d'inventer un homme nouveau peut bien être dite aussi une des plus grandes révolutions culturelles de tous les temps.

Autant que par ses proclamations, elle nous est chère aussi par tous les rêves dont elle a été porteuse, ce que l'historien Ernest Labrousse appelait ses « anticipations » : elle a pour un temps donné la liberté aux esclaves noirs des colonies ; quelques-uns ont rêvé de l'émancipation de cette « autre moitié de l'humanité », les femmes, et, à travers les luttes contre la misère et pour le pain, l'idée chemine de 1789 à 1794, de la fraternité, du droit à la vie, d'une autre révolution qui serait celle de l'Égalité.

Pour les penseurs et les acteurs de la Révolution, la jeunesse a été — déjà — le bien le plus précieux. Il est juste, en retour, que les jeunes d'aujourd'hui retrouvent la Grande Révolution à travers un texte qui la suit dans ses réalités quotidiennes, dans ses ombres comme dans ses lumières, à travers la dureté et la violence certes, mais aussi à travers cet engagement non mesuré, qui en fait une période où l'on a vécu intensément. Georges Lefebvre, autre grand historien de la Révolution, la disait partagée entre deux sentiments antagonistes : l'espérance et la peur. Il est bien vrai que ces deux héritages nous ont été transmis. Mais l'espérance est plus forte que la peur.

Michel Vovelle
Directeur de l'Institut
d'Histoire de la Révolution française

L'avènement du roi Louis XVI

En 1774, le nouveau roi Louis XVI a vingt ans. Il monte sur le trône où Dieu a voulu l'élever. Louis par la grâce de Dieu, roi de France et de Navarre, continue la chaîne des siècles de la monarchie française, mais c'est un roi de son temps.

Louis XVI et l'horloger

En 1780, un horloger de génie, Ferdinand Berthoud, se spécialise dans la construction des horloges marines pour les escadres de la marine française. Il fabrique des instruments de navigation. À la suite de difficultés financières, l'horloger vend au roi 116 outils, instruments, machines et quatre horloges marines pour la somme de 30 000 livres. Mais le roi sait que ces instruments seront plus utiles à ce très grand mécanicien qu'à quiconque. Non seulement il lui laisse la garde de tous les outils, mais encore il augmente ses appointements. L'horloge n° 24 de Berthoud, construite en 1782, servait à connaître l'heure, à faire le point, à calculer les arcs. Un cadran marquait et battait les secondes.

La mort du roi Louis XV

Dans la nuit du 12 mai 1774, passe le cortège qui porte à Saint-Denis le cercueil du roi Louis XV. Sur le bord de la route, les gens sifflent et crient : « Taïaut ! Taïaut ! » On ne voit ni foule en deuil, ni gens pleurant. Quelle mort honteuse ! Dans la basilique Saint-Denis, tombeau des rois, l'archevêque dit la messe des morts et met en garde le jeune Louis XVI : « le peuple a bien le droit de se taire et son silence est la leçon des rois ».

Le sacre de Louis XVI

Louis XVI a vingt ans, mais doit suivre des usages vieux de mille ans. Il prend le chemin de Reims pour recevoir le sacre qui fera de lui un roi. Dans un carrosse tout couvert d'or, tiré par huit chevaux danois ornés de plumes blanches, Louis suit une route de triomphe. Le dimanche 11 juin 1775, dans la ville de Reims décorée d'arcs, de colonnes et de tapisseries, la cérémonie du sacre commence. Sur son corps, sa tête et les paumes de ses mains, on passe de l'huile sacrée. Il reçoit un anneau, des gants, un sceptre, une main de justice, une couronne. Le roi couronné jure d'être fidèle aux lois et coutumes de son royaume. Une salve de canon éclate, la foule crie : « Vive le roi ». Le peuple est heureux et entre dans la cathédrale sous un lâcher de colombes. Au temps du couronnement, le roi, lieutenant de Dieu, a le pouvoir de faire des miracles. Le mercredi suivant, 2 400 malades alignés dans le parc d'une abbaye, lui montrent leur peau couverte de plaies. La misère du temps se voit sur le corps de ces malades. Louis touche la peau de son peuple et répète les mots des rois : « le roi te touche, Dieu te guérit ». Puis, drapé dans son long manteau en velours de Gênes doublé d'hermine, il repart pour Versailles. Le royaume de France semble figé pour l'éternité.

Louis XVI : un homme de son temps

Jamais on ne vit un roi aussi instruit que Louis XVI. Il connaît le latin et parle anglais. Il se passionne pour l'astronomie, la physique, dessine avec art des cartes de géographie, mesure des angles pour trouver l'emplacement de points sur le terrain. Cet enfant, orphelin d'assez bonne heure, resta à la porte du conseil des ministres et reçut des outils pour jouet. Il a tellement pris goût pour ces jouets à la mode qu'il aimera toujours fabriquer des clés, des serrures et des pincettes. Il s'ennuie à gouverner, bâille au théâtre, mais il note tout sur son livre de chasse. Il rêve aux mers lointaines et donne ordre aux corsaires français d'épargner le navigateur anglais Cook *. Il fait confiance à la science moderne de peur de mourir de la variole comme son grand-père. Il accepte de recevoir une espèce de vaccin contre cette maladie. Il tend le bras au médecin Richard qui lui administre, par petites piqûres d'aiguilles, une très faible quantité de pus prélevé sur des malades. Louis, maître en serrurerie et en géographie, ouvert aux idées de la science, aurait pu devenir un excellent serrurier ou un grand géographe, mais il était né roi et condamné à régner sans relâche.

Louis XVI couronné à Reims

Le sacre est une cérémonie qui donne au roi de France un pouvoir divin. Le roi de France est appelé « évêque du dehors ». Pour son couronnement, Louis XVI a fait réparer tous les attributs du sacre : l'épée de Charlemagne, l'agrafe du manteau, la main de justice d'ivoire... Sa couronne d'arceaux est ornée de joyaux multicolores. Son joaillier y a placé deux magnifiques diamants : « le Régent » et « le Sancy. ».

Le dimanche 11 juin 1775, jour de son couronnement, Louis XVI avait à ses côtés sa femme Marie-Antoinette. Louis avait épousé cette princesse autrichienne à l'âge de seize ans. Le couple royal paraît emporté vers une vie de bonheur. Il passera longtemps avant que naisse un enfant. Quand bien plus tard le Dauphin naîtra, le peuple aura pris le parti de se moquer de ce roi qui a une si tendre épouse et pas de descendant.

LOUIS XVI.
Couronné a Reims.
Le 11. Juin 1775.

Les années d'espérance

Le joyeux avènement de Louis XVI remplit les Français d'espérance. L'éclat d'un soleil radieux favorise les récoltes. On croit que Louis XVI sera un roi réformateur et qu'il gardera longtemps près de lui le bon Turgot. Les villes s'embellissent et la France se ménage un avenir tranquille.

Le beau royaume

Les belles années qui suivent l'avènement de Louis XVI répandent un parfum d'espérance, le ciel est radieux et les étés bien chauds. Les vieux se souviennent des hivers de famine, mais les jeunes mangent à leur faim. Aucun pays ennemi ne menace la France, aucune guerre civile ne la déchire. Il fait assez bon vivre dans le royaume de France où tant de gens se fient à un bel avenir.

Abondance d'hommes et abondance de récoltes

On s'entasse dans les bourgs et les maisons des villages. Les intendants* des provinces envoient au roi de longues listes qui montrent l'accroissement de la population. Avec 26 millions d'habitants, presque tous paysans, la France est le plus peuplé des royaumes d'Europe. En certains lieux, des propriétaires hardis cultivent des pommes de terre qu'on vend au coin de rues comme des châtaignes. En Limousin, où Turgot avait été nommé intendant en 1761, les paysans chantent que « Turgot lo primier las portet per cha-çar lo fam » (Turgot le premier les apporta pour chasser la faim). Des villages abandonnés reprennent vie. Des mauvaises terres, des marais et des friches où rien ne poussait, sont gagnés à la culture. Pour longtemps, ces récoltes nouvelles échappent à l'impôt royal. Les sociétés d'agriculture se passionnent pour les nouveautés. Elles importent des béliers d'Espagne, des peupliers d'Italie, conseillent d'utiliser la chaux et le fumier pour fertiliser la terre. Les prix du blé montent et réjouissent fermiers et propriétaires qui en tireront de gros bénéfices. S'ils peuvent louer leurs bras, même les plus pauvres ne s'inquiètent pas. Le proverbe dit « Cherté foisonne », car un bon prix fait accourir les marchands

---

BIENFAISANCE DE LOUIS XVI.
pendant le grand hiver de l'année 1776.

La rigueur de la saison est exprimée par la neige qui couvre les arbres, et la glace sur laquelle les Plaisirs font glisser des traîneaux. On apperçoit un Vieillard saisi par le froid, et une femme réchauffant contre son sein, ses deux enfans. Le Roi touché de ce spectacle atendrissant, leur fait venir une voiture remplie de bois, en proférant ces paroles dignes de son cœur généreux- voici mes traîneaux.

Monseigneur le dauphin labourant l'an 1769

Ce document montre l'esprit du siècle. Les enfants des princes ne doivent pas être des enfants oisifs et indolents. Ils doivent connaître les choses de la vie. Le futur Louis XVI apprend à conduire une charrue comme l'empereur de Chine. Ses jeunes frères assistent à la scène.

VUE PERSPECTIVE DE LA PLACE GRALIN ET DE LA NOUVELLE COMÉDIE *faite sur les desseins du S*

Dédiée a Son Altesse Seren.*me* M*gr* le Duc de Penthievre

Grand Admiral de France   Gouverneur de la Bretagne

se vend chez Esnaut et Rapilly rue S.t Jacque a l'hôtel de Toulouse N.259   Par son tres Obeissant Serviteur A Renou
A Nantes, chez M.r Sebire Marchand d'estampes   architecte et dessinateur de la ville et communauté de Nantes

dans les foires. Une seule fois, en 1775, les prix montent trop haut et déclenchent une guerre des farines. Alors surgissent les gens de la route, dangereux et sans maîtres, appelés « balayures de grenier », qui pillent les convois et les greniers.

La France de l'or

La France a une monnaie solide, de bons et nombreux louis d'or. Les navires français voguent sur toutes les mers et rapportent du sucre, du café et du coton. La France, grâce à ses îles des Antilles, approvisionne en produits coloniaux une bonne partie de l'Europe. Les marchands étrangers apportent leurs pièces d'or et d'argent pour acheter les marchandises françaises. En cas de mauvaise récolte, le royaume est bien assez riche pour faire venir des blés de Cadix ou de Philadelphie. Sur la Seine naviguent des milliers de bateaux chargés de charbon et les ingénieurs des Ponts et Chaussées construisent de très belles routes. Des quais de pierre ornent les rives de Bordeaux, de Nantes, de Rouen et les riches paradent dans des théâtres neufs, somptueux comme des palais.

Vue perspective de la place Gralin et de la nouvelle comédie

Mathurin Crucy (1749-1826) est un grand architecte qui travaille pour la ville de Nantes dès 1779. C'est lui qui dressa le plan de cette place et de ce théâtre (nouvelle comédie). En ce temps-là, les villes s'ornent d'édifices publics qui sont aussi beaux que des palais.

Hommes et temps nouveaux

Dans les villes, les activités nouvelles remuent les hommes et les idées. L'économie est à l'ordre du jour et les gens d'intérêt galopent pour accroître leurs biens. Le plus grand malheur est l'oisiveté.

Un jouet rare

Ce jouet en carton représente quelques métiers d'autrefois. Remarquons la roue du moulin et les couleurs d'un rose doux à la mode de l'époque.

Expérience aérostatique à Lyon

A Lyon, en janvier 1784, un ballon de 100 pieds de diamètre (environ 30 m) s'élève au-dessus de la ville. En 1783, Pilâtre de Rozier et les frères Montgolfier ont volé avec des ballons « aérostatiques ». Cette invention permettra aux armées françaises d'observer l'ennemi à la bataille de Fleurus, en juin 1794.

Toile de Jouy

Sur cette toile qui sort de la manufacture d'Oberkampf, à Jouy-en-Josas, on note la marque « bon teint » ; elle indique que l'administration royale en a contrôlé les normes de fabrication.

Le port de Nantes

Au premier plan, on voit les navires qui partent pour l'Afrique et l'Amérique. Les négociants réalisent dans le trafic triangulaire entre l'Europe, l'Afrique et l'Amérique, un fructueux commerce.

Des hommes nouveaux et des fabrications nouvelles

Par les mers et les fleuves arrivent de nouvelles idées, de nouvelles techniques, de nouveaux hommes. À Mulhouse, des entrepreneurs fabriquent des étoffes colorées appelées « indiennes » qui servent de tissus d'ameublement ou de parures aux dames. À Jouy-en-Josas, l'Allemand Oberkampf installe des ateliers de fabrication de toiles peintes qui racontent les épisodes des romans à la mode. D'autres trouvent le secret de la porcelaine, fabriquent des tissus de soie, à Tours et à Lyon. La production des grands miroirs à Saint-Gobain augmente. Riches bourgeois et nobles se passionnent pour les mines et les forges. Une fumée noire s'élève des hauts fourneaux du Creusot où l'on fabrique de la fonte. En 1785, le ministre Calonne

autorise l'importation d'Angleterre de machines à filer le coton, qu'il installe dans les cuisines du château de Passy. Un frère du roi ne dédaigne pas d'accorder sa protection pour la fabrication de l'eau de Javel. Une machine à vapeur pompe l'eau de la Seine à Chaillot pour alimenter Paris. Des banquiers fondent une première banque privée qui accorde des crédits et lance des emprunts. La foule des prêteurs se presse tant qu'il faut placer des sentinelles aux portes des bureaux de placement pour calmer leur soif de richesses.

La richesse des nations

Des économistes, appelés physiocrates*, veulent que le royaume devienne riche et prospère. Ils pensent que les inventions nouvelles ne donneront leur plein effet que dans bien des années. Pour le temps présent, il n'est de richesses que d'hommes, disent-ils. Il faut que la population grandisse encore et la France sera plus forte. Les hommes utiles sont ceux qui remuent la terre, car, pour eux, l'agriculture est la source de tous les biens. Mais les blés ne peuvent librement circuler dans le royaume de France. La France est, comme Gulliver à Lilliput, enchaînée par les péages que dressent les seigneurs des paroisses et les douanes du roi. Il y a trop de freins au commerce et trop de règlements de fabrication. Qu'on fabrique sans contraintes les produits, qu'ils circulent librement, et vous verrez la France grandir en nombre et en richesses.

Le pire des maux : l'oisiveté

Mais la terre n'est pas libre. Les nobles exigent beaucoup de droits et de devoirs féodaux sur les propriétés des paysans. Les gens d'Église lèvent une bonne partie des produits de la terre. Cette part importante des récoltes, appelée dîme*, revient très peu souvent aux curés des paroisses. Des seigneurs puissants se sont emparés injustement des dîmes des curés. Partout des cris d'indignation s'élèvent. Que tous les hommes inutiles, moines, nobles oisifs, courtisans, qui sucent le sang du peuple, retournent au travail. Que le roi lui-même fasse comme l'empereur de Chine, qu'il retrousse ses manches et qu'il laboure la terre !

Les nouvelles libertés de penser

Dans la deuxième moitié du XVIIIe siècle, les esprits se passionnent pour les sciences et les lettres. Tous les gens instruits se piquent d'économie, rêvent de voyages, pratiquent des expériences dans leurs laboratoires. Une équipe de philosophes*, ceux que nous appelons aujourd'hui les intellectuels, conduite par l'infatigable Diderot, rédige *l'Encyclopédie*.

La passion des sciences

Depuis longtemps, la cour de Versailles n'engendre que l'ennui ! La reine Marie-Antoinette se retire au Petit Trianon, pour s'amuser dans un domaine enchanté. Paris préfère entendre les récits de ceux qui voguent sur les mers du sud et ramènent des fleurs aux pétales violets. Il est passionnant de savoir que l'eau est un composé de gaz et que des amateurs s'apprêtent à voler en ballon. L'œil rivé au microscope, les savants classent fleurs et plantes, passent leur temps dans leurs laboratoires à disséquer les grenouilles. Avec un cerf-volant et une clé, ils captent l'électricité des éclairs. Ils s'amusent à électrocuter des poules et des dindons avec le feu électrique.

Salons et cafés

À jour fixe, dans les belles demeures de riches bourgeois et de barons fortunés, des compagnies de gens de lettres et de savants se réunissent autour d'un buffet de douceurs. Le plaisir et l'art de la conversation triomphent dans les salons. Mais ces gens aux belles manières ne perdent pas leur temps à dire des paroles creuses. Ils lisent à haute voix leur dernier livre, discutent de l'empereur de Chine, du système politique de l'Angleterre ou du voyage de Bougainville autour du monde (1771). Ils se moquent de ceux qui disent que Dieu est apparu aux hommes. Rien n'échappe à leur critique et leur pensée est si forte qu'on dirait qu'il pleut des bombes. Au « café de Foy » ou au

Le masque de Lavoisier

C'est avec ce masque que le chimiste Lavoisier travaillait dans son laboratoire. Ce masque lui servait à se protéger des projections d'acide. En 1783, Lavoisier découvre que l'eau est un composé de gaz. En 1785, pour convaincre les incrédules, il réalise une expérience pour décomposer l'eau en gaz. Quand il eut réalisé la décomposition de l'eau en gaz, il effectua l'opération inverse. Lavoisier avait pu éviter les dangers de la chimie, mais il ne put éviter d'être condamné à mort en 1794, au moment de la grande Terreur.

Des jouets éducatifs

Madame de Genlis, la sœur d'un économiste, eut en charge l'éducation des enfants de la famille d'Orléans. Un de ces enfants, cousin du roi, le duc d'Orléans, joua un rôle important dans les premiers temps de la Révolution. Cette maquette d'un atelier de chimiste et tant d'autres furent fabriquées dans l'intention d'éduquer les princes aux arts et métiers de leur temps. Toutes ces maquettes s'inspiraient soit des planches de *l'Encyclopédie* soit du dictionnaire *Arts et Métiers* de l'Académie. Tous les objets sont une réplique exacte de vrais objets. L'échelle de réduction est au 1/8e, c'est-à-dire que 12,5 cm sur la maquette représentent un mètre dans la réalité. Chaque objet des maquettes pouvait fonctionner réellement et les princes jouaient vraiment aux apprentis chimistes ou aux apprentis forgerons.

« Procope », au milieu des joueurs d'échecs, on commente avec force les dernières nouvelles parues dans *le Journal de Paris,* le premier quotidien (1777). Une puissance toute nouvelle se crée en France, la puissance de l'opinion publique.

L'Encyclopédie et les Encyclopédistes (1746-1780)

Des philosophes, esprits puissants et courageux, décident d'écrire un grand livre où toutes les connaissances de la terre seraient rassemblées. Ils veulent transmettre aux générations futures le savoir de leur temps. Ils croient qu'un jour viendra où la terre sera un paradis. Chaque jour, ils se lèvent avec l'espérance que les méchants sont devenus plus gentils pendant la nuit. Ils travaillent sans relâche et répètent : « plutôt s'user que se rouiller ». Le plus infatigable d'entre eux, Diderot, est jeté en prison à Vincennes pour avoir dit que les hommes sont comme des aveugles qui ne voient pas la vérité. Il s'acharne pendant plus de trente ans à publier *l'Encyclopédie* (1746-1780). Malgré les interdictions, les menaces et les attaques de l'Église, il commande des articles aux savants et va dans les ateliers interroger les ouvriers. Les peintres en bâtiment montrent leurs outils, les perruquiers leurs instruments, les potiers leur terre glaise. Les ouvriers Bonnet, Barrot, Laurent, expliquent leur travail. Quand Diderot, son ami d'Alembert et une multitude de spécialistes parviennent à publier un volume de plus, ils crient comme le naufragé qui reprend vie : « Terre ! Terre ! » Grâce à ces hommes éclairés qui défient la censure*, le public découvre ainsi un monde merveilleux qu'il ignorait. Dans dix-sept volumes de texte et onze volumes de planches, Diderot dresse l'un des plus précieux monument de la raison. La mode du travail manuel devient si forte que les enfants des princes reçoivent des ateliers miniatures. Sur leurs petites enclumes, ils s'amusent à fabriquer des clous pour échapper à la honte d'être inutile.

34 années de travail

Outre les 17 volumes de textes, une des forces de *l'Encyclopédie* vient du grand intérêt des 11 volumes de gravures et de planches. Il y a 3 000 pages d'illustrations qui racontent par l'image toutes les activités humaines de la seconde moitié du XVIIIe siècle (ci-contre, les forges). Avec une précision d'orfèvre et un sens de l'observation inouï, Diderot (1713-1784) et ses collaborateurs nous permettent de conserver le souvenir de techniques que nous avons perdues. Cette extraordinaire aventure de l'édition commencée en 1746 s'acheva en 1780. Beaucoup de révolutionnaires feront leurs discours en recopiant des pages entières de *l'Encyclopédie.*

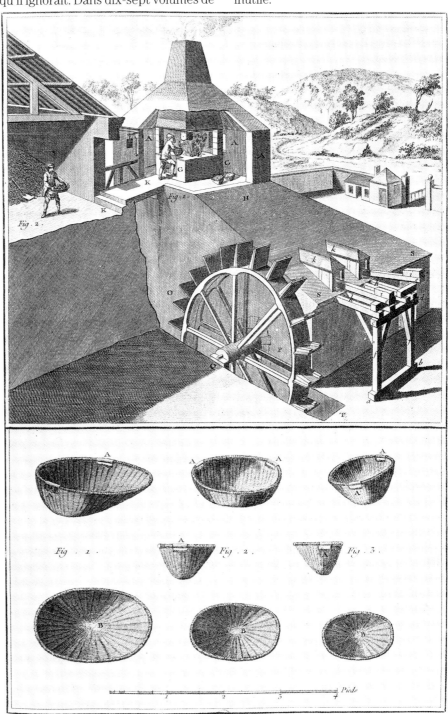

Des réformes impossibles

Tous les esprits ouverts sentent que le royaume de France a besoin de réformes. Mais les fermiers généraux, qui contrôlent les finances de l'État, et les Parlements, qui contrôlent la justice, ne veulent rien changer de l'état ancien des choses. Il faudrait à Louis XVI une volonté qu'il n'a pas.

La monarchie est une vieille machine

La France prend son élan, mais elle porte encore les vieux habits des siècles précédents. La monarchie ne détruit jamais les anciennes coutumes. Les provinces et d'innombrables particuliers profitent de privilèges qu'ils appellent « libertés ». Le royaume n'a toujours pas une grande administration publique pour percevoir les impôts ou une vraie banque pour financer les dépenses. Le roi est obligé d'utiliser les services de riches financiers qui lui avancent l'argent des impôts. Ces financiers et leurs commis en font eux-mêmes la collecte et se remboursent avec d'énormes profits. Ces rois sans couronne, appelés fermiers généraux*, prennent le gouvernement et

Turgot (1729-1781).

Une séance au Parlement de Paris. ▶

les Français à la gorge. Leurs poches sont pleines, mais le trésor royal est toujours vide.

Turgot et les ministres réformateurs : 1774-1776

Quand en 1774, pour son avènement, Louis XVI appelle aux affaires le ministre réformateur Turgot, on croit que le roi a décidé de faire les réformes que les gens éclairés attendent. Comme l'empereur d'Autriche ou le roi de Prusse, le roi de France va-t-il prendre le chemin des temps nouveaux ? Mais Louis XVI manque de volonté pour

Les nouvellistes

La France n'est pas une nation de lecteurs, mais les journaux se répandent progressivement. Le 1er janvier 1777, parut le premier quotidien français, le *Journal de Paris*.

abaisser la noblesse qui tire parti des finances de l'État. Toutes les réformes qu'entreprend Turgot ne tardent pas à être suspendues. Louis XVI ne désire pas lutter contre les financiers et devenir lui-même l'acteur d'une révolution royale. Il renonce à la lutte contre les Grands du royaume et leur sacrifie Turgot en 1776. Son ministre lui écrit ces mots, qui sont son horoscope : « n'oubliez jamais, Sire, que c'est la faiblesse qui a mis la tête de Charles Ier sur le billot * ».

La guerre du sel

De tous les impôts royaux, la gabelle, impôt sur le sel, est le plus haï. Dans les provinces qui n'y sont pas soumises, le sel ne vaut pas un liard *, tandis que dans d'autres, il vaut treize fois plus cher. Or, on est libre de se passer de pain, mais on n'est pas libre de se passer de sel. À huit ans, un enfant paie

autant qu'un adulte. Les domestiques qui mangent chez leurs maîtres et qui ne font pas de cuisine, doivent en acheter quand même. Les commis de gabelle vendent du sel de la pire qualité, plein de poussières qui gâtent les aliments. Sur les frontières des provinces franches *, une guerre continuelle a lieu entre les contrebandiers et les soldats de la Ferme *. Les fermiers généraux ont carte blanche pour maltraiter le peuple. Malheur à ceux qui sont soumis à ce diable d'impôt !

Le Parlement « bête puante »

Il est de coutume de faire enregistrer par le Parlement de Paris les lois nouvelles du royaume de France. Ce Parlement est composé de juges qui achètent leurs charges et reçoivent de l'argent pour rendre la justice. Ils prétendent être les pères de l'État et la source de la loi. Ils veillent avec un

soin jaloux sur leurs avantages et voudraient que tout reste immobile. Tous sont très riches, mais ne paient aucun impôt sur leurs biens. Ils sont si fiers de leurs robes de juges, qu'ils pensent que le peuple se mettra toujours à genoux quand ils paraîtront. Ils luttent avec acharnement pour échapper au paiement des taxes, préférant un État ruiné à une société sans privilèges. Ils veulent garder une justice cruelle et aveugle qui s'acharne sur les condamnés. Sans la volonté du roi Louis XVI, les bourreaux auraient continué à briser les doigts des suspects, à les gaver d'eau, puis à les frapper sur le ventre pour qu'ils crachent l'eau et leur sang. Beaucoup de ministres conseillent à Louis XVI de soumettre le Parlement, cette « bête puante ». Il ne le veut point. Mais s'il désire perdre sa couronne, il est bien maître de son choix, après tout.

La France et la guerre

En 1776, les colonies américaines se rebellent contre leur mère patrie, l'Angleterre. Des volontaires français, puis les escadres de la marine royale, volent au secours de l'Amérique qui proclame son indépendance. La république américaine fait tourner la tête aux hommes épris de liberté.

Louis XVI, le libérateur

En engageant la France au côté des colonies américaines contre l'Angleterre, Louis XVI fait un choix qui lui vaut une grande popularité. On remarque sur ce médaillon la présence d'un « bon sauvage » arborant les insignes de la liberté : une pique surmontée d'un bonnet phrygien.

Volontaires français

Les jeunes gens des meilleures familles rêvent de l'Amérique. La cause américaine est si grande qu'on nomme un jeu de carte le « Boston ».

Le siège de Yorktown

En octobre 1781, les troupes anglaises sont encerclées dans la ville de Yorktown en Virginie. Elles ont fui devant l'avance conjointe des troupes du général français Rochambeau et d'un détachement américain. Après avoir capitulé, les Anglais évacuent la ville. Washington, Rochambeau et La Fayette sont les héros du Nouveau Monde.

Le bonhomme Franklin à la cour de Versailles

En 1776, Benjamin Franklin, bonhomme de soixante-dix ans, débarque en Bretagne et vient rendre visite aux imprimeurs de Nantes, ses confrères. Les Nantais accueillent avec enthousiasme ce messager du Nouveau Monde. L'Amérique révoltée vient chercher du secours pour gagner sa liberté contre l'Angleterre. Avec ses chaussettes grises et son bonnet en tête, Benjamin Franklin part à Versailles. Les dames de la cour, toutes enrubannées, reçoivent avec curiosité ce pèlerin de la liberté, enjoué et savant. Il dit que là-bas en Amérique, il n'y a ni seigneur, ni droits féodaux. Tous les chemins de la fortune sont ouverts aux hommes de talent. Sur les drapeaux, les colons* ont écrit « Vivre libres ou mourir ». Un impôt sur le thé a suffi à soulever les treize colonies anglaises d'Amérique du nord. Le 4 juillet 1776, les colons américains adoptent une Déclaration d'indépendance, pour combattre leur tyran, le roi d'Angleterre. Ils proclament que le droit des peuples est plus fort que le droit des rois. Benjamin Franklin appelle pendant huit années les amis de la liberté au secours du bon peuple des colonies d'Amérique. Il dit aux Français : « Ne soyez plus des « Bonhomme misère » qui vont le dos courbé, mais imitez la vie exemplaire et digne du « Bonhomme Richard* » dont je retrace la vie pour vous armer de courage ! »

Les volontaires français

Les damoiseaux de chez nous, la tête farcie d'aventures, se mettent en tête de franchir l'Océan. Le marquis de La Fayette, riche de tout, mais pauvre de gloire, entend parler des révoltés d'Amérique dans un dîner en ville. Ce jeune homme de dix-neuf ans, à la taille haute et aux cheveux blonds, ne tient plus en place. Il désobéit à sa famille, quitte sa femme et s'embarque sur *La Victoire,* le 20 avril 1777. Tous pardonnent à cet intrépide, à la pâleur inaltérable. Il devient, à vingt ans, major général de l'armée des États-Unis et gagne l'amitié du général Washington. Des cadets de famille imitent son exemple, apprennent l'anglais, et franchissent les mers. La guerre d'Amérique est une occasion de gagner du

d'Amérique 1776/1783

galon ou de faire du commerce. Les commerçants nantais vendent secrètement armes et navires, et servent de banquiers aux insurgés. Les bateaux reviennent des îles des Antilles chargés de rhum et de tabac. Dieu soit loué, disent les négociants, nos affaires augmentent tous les jours.

Louis XVI engage la France dans la guerre d'Amérique

Le courage des volontaires, l'intérêt de la France, persuadent les ministres et le roi Louis XVI de faire une guerre ouverte au roi d'Angleterre. Français et Américains signent un traité d'amitié et de commerce. Bientôt les escadres bleue et blanche des amiraux français voguent le long des côtes américaines. Les navires de notre pays emportent de la poudre, des pierres à fusil, des plombs et des mèches à canon. Pour encourager les Indiens à combattre, on leur offre des pendants d'oreilles, des couvertures rayées, des médailles en argent ornées de fleurs de lys. La guerre coûte cher et la France emprunte des millions de livres à la Hollande. Les troupes combattent brillamment et les Américains agissent si bien que bientôt, devant Yorktown, la grande armée anglaise est cernée. Sans prendre le temps de tirer au fusil, La Fayette conduit ses hommes à l'assaut, l'épée au poing. Le 19 octobre 1781, la grande armée anglaise capitule. L'Angleterre signe une paix avantageuse pour la France. Les pétards et les fusées éclatent dans les villes, les façades sont illuminées, on chante dans les églises. Benjamin Franklin écrit au roi de France qu'il est « le plus grand Faiseur d'heureux » et il lui souhaite une longue prospérité jusqu'à la fin des temps.

La crise finale de la monarchie

Après les belles années du début du règne, voici venir le temps des menaces. Il fait froid et le peuple souffre. La banqueroute menace l'État et les privilégiés ne veulent faire aucun effort pour payer leur part d'impôts.

De cruels hivers et de pâles étés

La joie de la victoire d'Amérique retombe vite. Depuis quelques années, d'étanges phénomènes naturels conspirent contre les hommes. Des poussières de lointains volcans voilent les cieux et le soleil d'été luit comme un soleil de janvier. Des troupeaux sont malades, se couchent et périssent. Les arbres craquent et se fendent sous les assauts de l'hiver 1788. Le vin gèle dans les barriques comme au temps du roi Louis XIV.

Les caisses de l'État sont vides

La France a fait la guerre d'Amérique à crédit. Les créanciers* présentent leurs billets de remboursement. Le roi a peu d'argent et ne sait que faire pour payer une dette de cinq milliards de livres. Il ne faut pas songer à augmenter les impôts. Seul le peuple en paye et il en paye déjà trop. On peut tondre* les paysans et les bourgeois, mais ils ne se laisseront pas écorcher. Il faudra bien que les gens d'Église et de la noblesse consentent à payer leur part. Le clergé, quoique chargé de biens immenses, ne consent à offrir qu'un simple don au royaume.

L'obstination des nobles

Les nobles maudissent ceux qui parlent de les soumettre à la règle commune. Depuis toujours, ils imposent aux paysans les charges de leurs propriétés et partent vivre dans les villes exonérées de la taille*. La noblesse, jalouse de ses privilèges, veut garder ses décorations, ses rubans, ses bancs réservés à l'église. Elle dit que les mérites de la race valent bien plus que ceux de l'intelligence et qu'il suffit de naître noble pour être un homme de qualité. Nous vous assurons, répondent les bourgeois, que les petits enfants de la noblesse sont des êtres bien pleureurs et bien faibles comme tous les enfants du monde. Les nobles dépensiers et fastueux sont toujours à court d'argent, car les richesses nouvelles leur échappent. Le commerce est une chose trop indigne à leurs yeux. Alors, ils supplient le roi de leur garder

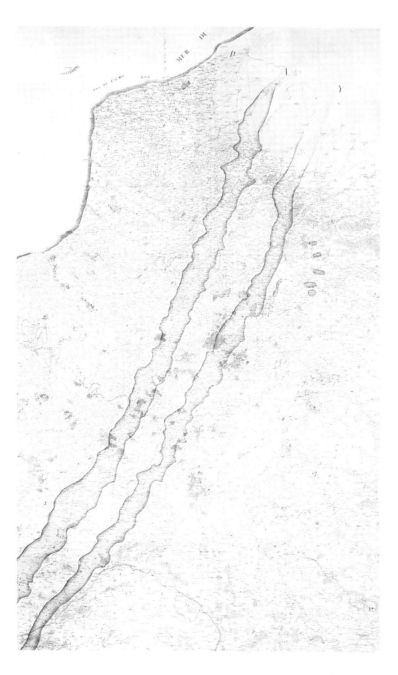

L'orage du 13 juillet 1788

Resté très célèbre dans les mémoires, cet orage ravagea tout sur une langue de territoire qui s'étend de la frontière du nord à l'Île-de-France, comme on le constate sur cette carte. Cette calamité naturelle s'ajoute à une série de phénomènes climatiques funestes pour l'agriculture. Bien des événements révolutionnaires vont s'expliquer par cela.

toutes les bonnes places de l'Armée, de l'Église, de la Justice. Ils quémandent des pensions, des faveurs, des dons : « à votre bon cœur, sire roi, j'ai ma fille à marier », disent les courtisans !

La valse des ministres

Pour sauver l'État, il faut sauver ses finances. Qu'ils soient amis ou ennemis des privilégiés, tous les ministres sentent que la faillite menace faute d'établir un cadastre*. Que l'on fasse comme les Romains, que chacun connaisse les limites exactes de ses champs et que chacun paye à proportion de ses biens. Ballotté par les événements, Louis XVI n'impose plus sa volonté. Il nomme comme principal ministre, Jacques Necker, protestant de Genève, l'ami des banquiers et le rival des fermiers généraux*. Cet

étranger obtient des emprunts parce qu'il a la confiance des manieurs d'argent. Mais Louis XVI le renvoie en 1781, appelle un autre ministre, puis encore un autre.

La révolte des Parlements

Aucun d'entre eux ne plaît aux messieurs du Parlement qui poussent à la révolte. Ils crient : « nous sommes tous des messieurs Duval et Goislard », les deux parlementaires parisiens les plus acharnés à combattre les réformes. Ni la prison, ni la menace, ni l'exil, ne parviennent à mater l'opposition des parlementaires. Ils haïssent ceux qui tentent de mettre fin aux privilèges, gagnent la faveur du peuple par leurs bravades, poussent les foules à l'insurrection. Louis XVI n'a que deux solutions : tolérer ou écraser ses ennemis. Mais il attend et ne décide rien.

Gravure patriotique dédiée aux citoyens de Nantes

En Bretagne, la lutte qui oppose les bourgeois à la noblesse est l'une des plus violentes du royaume. Les bourgeois nantais réclament une représentation du Tiers État égale aux députés des deux autres ordres du clergé et de la noblesse.

L'ultime solution : les États

La crise économique et la contestation politique ajoutent au désordre. Louis XVI tente de timides réformes. La révolte gagne les provinces et le roi apeuré par tant d'agitation se résout à convoquer les États généraux pour l'an de grâce 1789.

Louis XVI, un réformateur tardif

Le roi avance comme un aveugle sans bâton. Il se met au goût du jour pour les réformes et consent quelques sacrifices. Il réduit le nombre de ses pages, de ses écuyers, de ses chevaux. Il vend quelques domaines, des châteaux et toutes ses maisons de Paris. Il modifie les règles de la circulation des blés, signe un traité de commerce avec l'Angleterre (1786), autorise les protestants à inscrire leurs mariages, baptêmes et décès sur leur état civil* (1787). Il se remue pour établir ces nouveautés, sans parvenir à s'en faire un mérite. À peine lui fait-on grâce d'avoir libéré les serfs de ses domaines royaux.

La révolte des provinces

Les Parlements de Paris et de province ne veulent rien entendre et poussent à l'insurrection pour affaiblir plus encore le roi. Louis XVI envoie le régiment de Royal Marine combattre le Parlement de Grenoble. Le samedi 7 juin 1788, les soldats tirent sur le peuple de Grenoble qui grimpe sur les toits et déverse un déluge de pierres et de tuiles. Tant d'agitation effraie le roi, il pardonne aux rebelles sans obtenir leur soumission. À Rennes, en Bretagne, l'indignation des nobles est à son comble. Quoi, disent les nobles ! Vouloir taxer nos châteaux, nos parcs, nos jardins ? Vouloir soulager les paysans de la corvée, supprimer le droit d'aînesse, nous soumettre à l'impôt ? Nous autres, nobles de Bretagne, du temps de Philippe Auguste, nous montâmes à cheval pour sabrer un millier de gens qui parlaient de réforme. Faisons comme nos pères, tirons nos épées : « Oignez vilain, il vous poindra ; poignez vilain, il vous craindra ! »

Necker

Étranger de Genève et protestant, Necker est un ministre bien singulier. Ce banquier s'est rendu populaire par des livres d'économie dont on aperçoit l'un des titres sur la gravure : *Éloge de Colbert, Compte-rendu au roi*. Sa politique est ambiguë : il recule devant le Parlement et voudrait faire plaisir au Tiers État, mais il est très aimé du peuple, car il « ramène l'abondance, sous le bon plaisir du roi ».

La convocation des États généraux

Apeuré par tant de désordre et de violences, le roi se résigne à appeler le pays tout entier : que la nation s'assemble pour envoyer au mois de mai 1789 des députés aux États généraux du royaume ! Il y avait tant d'années que les États généraux ne s'étaient réunis. Au temps de l'enfance de Louis XIII (1614), on avait convoqué les députés en distinguant les trois ordres : les ordres du clergé, de la noblesse et du Tiers État. La plupart des privilégiés de 1789 disent que le temps a seulement effleuré les choses et qu'il faut conserver l'antique séparation des

généraux

ÉTAT de la CONVOCATION des États-généraux en 1789.

Gouvernement général de *Picardie*.

Bailliage de *Calais et Pays reconquis*.

GRAND-BAILLI D'ÉPÉE, ...

LIEUTENANT GÉNÉRAL ou autre premier Officier du Siége, qui a assisté à l'Assemblée des trois Ordres, & a présidé au Tiers . . . . M.

NOMBRE DE DÉPUTATIONS . . . . . . NOMBRE DE DÉPUTÉS . . . .

LISTE de MM. les Députés de ce Bailliage aux États généraux.

CLERGÉ.   NOBLESSE.

TIERS-ÉTAT.

Lit de justice, à Versailles

Le pouvoir du Parlement réside dans le fait qu'il peut refuser d'enregistrer une loi. Mais si le roi se présente en personne au Parlement, la loi est enregistrée. On appelle une telle séance, un lit de justice.

Convocation aux États généraux

Les élections aux États généraux se font dans le cadre du bailliage*, qui est une vieille circonscription judiciaire.

ordres. Les nobles doivent élire des nobles, et les ecclésiastiques des ecclésiastiques. L'eau et le feu ne se mélangent pas ! Que les roturiers, vils bourgeois, fermiers et artisans, restent entre eux. Ils vont derrière aux processions et ôtent leurs chapeaux devant nous. Ils n'ont jamais porté l'épée au côté et ne sont pas de notre monde. Chez nous, ils mangent à l'office près de la cuisine, avec les serviteurs.

Le retour de Necker aux affaires : août 1788

En août 1788, le ministre Necker, l'ami de la Bourse, le confident des manieurs d'argent du Palais-Royal, revient aux affaires et envoie des lettres ouvertes à tous les bourgs et villages de France. Le 24 janvier 1789, il annonce les réglements électoraux des députés aux États généraux. Les dimanches de janvier et de février, à la grand'messe, les prêtres lisent le réglement électoral dans les églises glaciales. Réjouissez-vous, simples prêtres des paroisses, vos députés seront les plus nombreux. Les chanoines des cathédrales, les moines des couvents, tous membres du haut clergé, seront à peine représentés. Les roturiers sont heureux, car le bon Necker a décidé que leurs députés auront une double représentation. Oui, le Tiers État aura à lui tout seul autant de députés que les deux autres ordres réunis. Jamais dans aucun temps, le Tiers État n'avait eu une telle faveur.

Un point non décidé : le vote par ordre ou le vote par tête ?

Mais que dit le réglement sur la manière de voter aux États généraux, là-bas à Versailles, au mois de mai 1789 ? Il ne dit rien. On ne sait si les ordres voteront par ordre comme en 1614 ou si chaque député, quel que soit son ordre, votera par tête. Malheur à nous, pensent les gens du peuple, si l'on vote par ordre et non par tête. Tous nos espoirs s'envoleront, car deux sera toujours plus grand qu'un. Les deux voix de la noblesse et du clergé battront toujours la voix unique du Tiers État. En attendant, il faut prendre nos plumes et écrire sur nos cahiers nos plaintes et doléances. Il faut que nous ayons des idées d'avance.

Les élections aux États

La convocation aux États généraux suscite un intérêt considérable. Les Français écrivent une montagne de cahiers de doléances, exemple unique d'un peuple qui prend la parole. La campagne électorale pour désigner les députés est rude et un vaste débat politique s'engage dans tout le pays.

Sieyès (1748-1836)

Cet homme d'Église, longtemps vicaire de Chartres, publie en février 1789, un ouvrage anonyme qui fera grand bruit. À la question « Qu'est-ce que le Tiers État », il répond « Tout ». L'histoire lui donnera raison.

Les trois huit

Sur cette estampe populaire, que l'on accrochait sur les murs, on distingue un dessin qui vante la « réunion des trois ordres ». La femme porte le pain du Tiers État, le pichet du clergé et le sac de la noblesse. On y lit aussi que le cordonnier espère qu'en l'an 1790, il y aura les trois huit, c'est-à-dire que le pain, la pinte de vin et la livre de viande vaudront chacun huit sols.

Les cahiers de doléances

Avec des plumes d'oie bien taillées et de l'encre au goût de vinaigre, les Français écrivent comme de vrais écoliers leurs cahiers de doléances. La plus petite paroisse, la plus humble corporation* de métiers ou les brillantes assemblées de la noblesse et du clergé, notent sur des pages blanches leurs malheurs et leurs espérances. Jamais dans l'histoire du monde, on ne vit une nation entière prendre la plume pour faire entendre l'écho de sa voix. Au printemps de 1789, une montagne de cahiers fait le testament d'une France qui va mourir et dresse l'acte de naissance de celle qui veut naître. Les plus pauvres sujets du roi demandent la pitié et parlent des misères de « la criculture » (l'agriculture). Les plus savants veulent réformer le monde tel qu'il est et répandent des modèles de cahier pour qu'on les recopie au fond des provinces.

Les vœux des cahiers de doléances

Qu'on libère la propriété ! La terre doit être libre ! Il y a tant de droits qui pèsent sur la propriété roturière* ! Celui qui achète ou possède une terre ne peut jamais vraiment dire : « cette terre est à moi ». Il y a toujours une loi, une coutume, une rente qui limite la propriété. On n'est jamais bien sûr de pouvoir librement transmettre en héritage une terre à ses enfants. Le droit de propriété est un droit à conquérir.

PATIENCE MARGOT J'AURONT BEN-TOT 3 FOIS 8.

Qu'on libère les hommes! Que la société ne s'acharne plus à briser les doigts des prisonniers et à les battre jusqu'au sang! Que la pensée puisse s'exprimer sans entraves, que chacun ait accès à tous les métiers, que les libertés particulières deviennent la Liberté de tous!

Qu'on libère la nation! Il faut que les impôts soient équitablement répartis. Il faut que le peuple soit la source du pouvoir. Aucun impôt ne sera levé sans son consentement. Seul ce que le peuple voudra aura force de loi, et rien ne sera loi s'il ne le veut pas.

Sieyès et les premières élections nationales

Tous les bourgeois du Tiers État se reconnaissent dans les idées de l'abbé Sieyès qui écrit en février 1789:
«Nous avons trois questions à nous faire:
1° Qu'est-ce que le Tiers État? Tout.
2° Qu'a-t-il été jusqu'à présent dans l'ordre politique? Rien.
3° Que demande-t-il? À devenir quelque chose.»
Sieyès proclame que les privilégiés admirent les portraits de leurs aïeux et veulent conserver le vieil état des choses. On les appelle aristocrates. Ces arrogants confondent toujours les membres du Tiers État avec les laquais ou de pauvres crocheteurs*. Le peuple, pour eux, c'est de la populace, de la graine de canaille. Les bourgeois leur répondent que le paysan qui laboure, l'ouvrier qui forge, le commerçant qui vend, le médecin qui soigne, sont gens du peuple. Tous s'honorent d'être utiles et espèrent en l'avenir. La nation ne peut vivre sans eux, mais la nation peut vivre sans les aristocrates.

Une rude campagne électorale

Les candidats s'affrontent dans une vigoureuse campagne. Des nobles voudraient bien se faire élire par des paysans. Prenez garde fermiers, avertissent les bourgeois, ne donnez vos voix qu'à ceux de votre classe! Partout, c'est une rude bataille où l'on échange des arguments et des coups. 5 000 brochures, lettres, feuilles volantes exposent les programmes différents. Malgré les autorités, la liberté d'expression s'impose dans le royaume. Aux élec-

tions, chaque Français de vingt-cinq ans vote dans son ordre: la noblesse élit des nobles, le clergé des membres du clergé et le Tiers État des membres du Tiers État. Le clergé élit 301 députés, dont certains curés à la tête farcie d'idées nouvelles. La noblesse désigne 270 députés où figurent un bon nombre de grands seigneurs, partisans des réformes. Quant aux 578 députés du Tiers État, ils s'apprêtent tout simplement à dire à la France qu'ils forment le modèle réduit de la nation et qu'ils pourront parler en son nom.

Cahier Général De l'ordre Du tiers État Du Baillage D'Évreux, et Des Six Baillages Secondaires Du Dit Baillage D'Évreux

L'opinion Et le Vœu De L'assemblée Générale, Sont.

Article Premier

Que Le tiers État Soit Representé aux États Généraux Par des Deputés pris dans Son ordre.

Article Deux,

Que Le nombre De Ses Deputés Soit Égal au nombre Reuny Des Deux autres ordres.

Article Trois,

Que Les ordres Conservent La Liberté De S'assembler et De Deliberer Séparément, ou en Commun.

21 Cahier général de l'ordre du Tiers État, bailliage d'Évreux

Après chaque réunion, les électeurs écrivent un cahier de doléances. Il reste plus de 40 000 cahiers de doléances. Celui-ci est un résumé de milliers d'autres. Les cahiers des petites paroisses paysannes sont remplis de fautes d'orthographe et de réclamations touchantes.

L'ouverture des États généraux

Une procession religieuse marque le début des États généraux. Les députés des trois ordres ont des costumes bien différents qui marquent l'inégalité de leur condition. Lors de l'ouverture, des querelles de préséance éclatent. Mais une véritable bataille s'engage sur la vérification des mandats des députés. Doit-elle se faire en commun ou par ordre séparé ?

Messieurs des trois états

Sur cette estampe, se lit tout le programme du Tiers État : la réunion, en un seul corps, des trois ordres séparés de la nation. Comme la plupart des Français ne savent alors ni lire, ni écrire, l'image doit avoir un sens très clair : ici se mêlent la croix du clergé, la pelle du Tiers État et l'épée de la noblesse. Les trois chapeaux n'en font qu'un.

Hôtel des Menus Plaisirs

Là se tint la première réunion des États généraux. Le roi est assis sur un trône couvert par un dais, selon le cérémonial de la monarchie. À l'image de la noblesse, il porte « un chapeau à plumes blanches retroussé à la Henri IV ». Les membres du Tiers État sont au fond, tous en noir et portant un chapeau rabattu.

La procession du Saint-Sacrement

Les tailleurs mettent un dernier fil aux costumes des députés quand arrive enfin le jour de la procession du Saint-Sacrement qui précède les États généraux. Le 4 mai 1789, le rendez-vous est fixé à 7 heures du matin, à l'église Saint-Louis de Versailles. Les cardinaux aux chapeaux rouges, les évêques en soutanes violettes, et les curés dans leurs habits noirs sont les premiers du défilé. À leur suite, les nobles vêtus d'un manteau à parement d'étoffe d'or, de chaussures à boucles d'argent, d'un chapeau à plumes blanches retroussées, paradent dans les rues pavées. Puis arrivent les députés du Tiers État dans leur pauvre costume. Ils n'ont qu'un chapeau rabattu et portent une simple cravate de mousseline. Des affiches au coin des rues ont annoncé la procession du Saint-Sacrement et tout Paris a payé jusqu'à deux louis d'or pour voir passer les députés avec leur cierge allumé. La foule crie « Vive le roi » ou « Vive la reine ». D'autres gardent le silence ou disent « fi donc ». À l'église Notre-Dame de Versailles, terme du défilé, certains députés du Tiers État osent s'asseoir sur les bancs des premiers rangs. On fait reculer rudement ces « animaux », ces « figures comiques », jusqu'aux dernières places.

L'ouverture des États généraux

L'ouverture politique des États généraux a lieu le 5 mai 1789. Avenue de Paris à Versailles, dans la grand'salle de l'hôtel des Menus Plaisirs, des hérauts* appellent les députés du Tiers État par bailliage*, comme dans

les temps anciens. D'une voix forte, dure et brusque, on leur donne une place. Ils entrent dans la salle aux vingt colonnes doriques et se taisent à la vue des spectateurs d'élite, des ducs aux épées d'or, des femmes éclatantes de beauté. Quel imposant tableau ! Quand le roi entre, un profond silence se fait dans la salle. Il veut garder son chapeau et les nobles veulent garder le leur, puisque tel est l'usage. Louis XVI croit que les députés du Tiers État se découvriront respectueusement comme de fidèles sujets. Mais les représentants du Tiers État s'arment d'audace et gardent leur chapeau sur la tête, à l'égal de tous. Alors, pour ne pas créer un incident violent, le roi fait semblant d'avoir chaud, se découvre et tous les députés en font autant. Le règne de l'égalité commence. Le bon Necker fait un long discours qui endort le roi, agace les députés et n'annonce rien de neuf. Quant le roi prend la parole, il emplit les cœurs d'espérance en prononçant quatre fois le mot bonheur. La cérémonie s'achève et le lendemain commence la première bataille de la Révolution.

Comment vérifier les pouvoirs des députés ?

Aucune salle n'a été prévue pour accueillir les messieurs du Tiers. Puisqu'il n'y a pas de salle pour eux, ils occupent la grand'salle des Menus Plaisirs. Dans ce décor somptueux, ils osent croire qu'ils sont toute la nation et qu'il leur revient de parler en son nom. Que tous les députés, quel que soit leur ordre, viennent effectuer ensemble la vérification des pouvoirs ! Pour que périsse l'antique distinction entre les ordres, il faut vérifier les pouvoirs en commun. Tous les jours, avec fermeté, ils appellent à eux les députés de la noblesse. Déjà au milieu des cris des députés et de la foule qui assiste aux délibérations, Mirabeau, charme de sa voix de bête féroce les députés du Tiers. Les Bretons, les Provençaux, les Dauphinois, les Comtois s'emportent avec une fureur insensée contre la noblesse. Tous ces députés acharnés se préparent à une bataille très dure pour que les deux ordres se joignent à eux. Jamais la noblesse n'adoptera le vote par tête. Jamais le

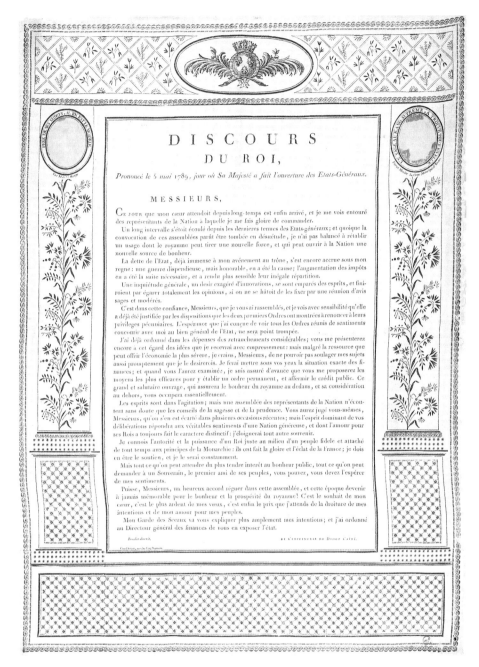

Tiers État n'acceptera le vote par ordre. Dans la salle des Menus Plaisirs, les députés du Tiers prennent des habitudes du Parlement anglais. Ils s'appellent « Honorables membres », ils parlent d'« amendement », proclament qu'ils sont la « majesté de la nation ». Mais ni les députés du clergé, ni ceux de la noblesse ne viennent les rejoindre. Le peuple dans la rue dit aux députés du Tiers : « Sacredié, Messieurs, tenez ferme au moins. »

Discours du roi

À l'ouverture des États généraux, le roi fit un bref discours, diffusé dans toute la France. Les fabricants de soie eurent l'idée de l'imprimer sur de beaux mouchoirs. Ainsi, beaucoup de riches Français portaient sur eux le discours de l'espérance.

La naissance de l'Assemblée

À peine les États généraux sont-ils ouverts que la vraie question se pose : la délibération des députés aura-t-elle lieu par ordres séparés ou en commun ? De la réponse à cette question découle tout l'avenir de la France. Après un rude affrontement verbal, les députés du Tiers État se proclament Assemblée nationale. Le roi résiste, mais en vain. Les menaces d'affrontement se précisent.

Les États généraux dans l'impasse : 6 mai-11 juin 1789

Dans la belle salle des Menus Plaisirs, les députés du Tiers apprennent à débattre en assemblée. Ils crient comme des vendeurs des halles, passent du coq à l'âne, délibèrent quatre jours sur l'aile d'une mouche. Il n'y a pas de président de séance pour calmer les têtes chaudes. Sans une voix puissante, il est impossible de se faire entendre. Dans les galeries, remplies d'un grand nombre de spectateurs,

Mirabeau (1754-1792)
Ce vicomte ne fut pas jugé digne d'être élu par la noblesse. Il s'acheta une boutique et se déclara bourgeois.

fusent des injures de guerre contre les nobles appelés « aristocrates ». On entend de dures paroles contre les ecclésiastiques : « qu'ils vendent leur carrosse ! ». Cependant avec une ferme obstination, les députés du Tiers invitent inlassablement les deux autres ordres à vérifier leur pouvoir en commun. En effet, pour que l'élection d'un député soit valable, il faut vérifier que toutes les opérations électorales ont été parfaitement régulières. Les nobles ne veulent aucune conciliation avec le Tiers, le clergé refuse aussi, mais nage entre deux eaux. Si la vérification a lieu en commun, tout le reste, délibérations et votes, se fera aussi en commun. Alors finira la millénaire distinction des ordres et commenceront les temps nouveaux.

L'Assemblée nationale : 17 juin 1789

Voici plus d'un mois que les États généraux pataugent dans l'inaction. La noblesse campe dans son refus de se joindre aux députés du Tiers et le clergé hésite toujours. Les députés des communes* s'aigrissent, s'emportent et proclament qu'ils forment à eux seuls la nation. Qu'ont-ils à attendre, les ordres « pygmées » du clergé et de la noblesse, pour vérifier leurs pouvoirs ? Le 12 juin à 7 heures du soir, ils font éclater leur courage. Ils prennent le droit de vérifier les pouvoirs de tous les députés du royaume. Ils nomment

Aux trois réunis

Après le 17 juin 1789, l'Assemblée nationale représente la nation entière. Mais il faudra attendre le 27 juin 1789 pour assister à la réunion totale des trois ordres :

« Bon, nous voilà d'accord. » Les membres des trois anciens ordres vont pouvoir jouer un air d'orchestre ensemble. Le document est d'autant plus émouvant qu'une main anonyme y a porté des annotations.

6 mai-10 juillet 1789

nationale constituante

une à une les provinces de France : Anjou, Artois, Auvergne, Béarn, Berry... À chaque fois, ils appellent les noms des députés élus par le clergé, la noblesse et les communes. Seuls les députés des communes répondent présents à l'appel de leur nom. Pour les autres, silence. Vers 10 heures du soir, l'appel s'arrête à la lettre L. Le lendemain 13 juin, l'appel reprend. Oh stupeur ! Au moment où l'on appelle le clergé du Poitou, les curés Lecesve, Ballart et Jallet font leur entrée. Quelle explosion de joie ! Les jours suivants, d'autres curés arrivent. Le public des tribunes ajoute ses cris de joie à l'enthousiasme général. Le 17 juin 1789, par 491 voix contre 90, les députés des communes se proclament Assemblée nationale : « Vive le roi ! Vive l'Assemblée nationale ! »

Le serment du Jeu de Paume : 20 juin 1789

L'Assemblée nationale décide aussitôt qu'il n'y aura pas d'impôts sans le consentement de la nation. Cette marche des événements inquiète le roi et la Cour. Ils décident de réagir en fermant la salle de réunion de l'Assem-blée. Qu'ils aillent à la rue ! Le 20 juin, les députés trouvent un refuge de fortune dans une salle de jeu de Paume. C'est là qu'ils jurent de ne jamais se séparer avant d'avoir donné une Constitution * à la France. Mais hélas, le roi ne veut pas que le royaume change ses lois et usages. Le 23 juin, il convoque une séance royale et rappelle avec fermeté qu'il veut que la monarchie garde l'ancienne distinction des trois ordres. Pour lui, tout ce que l'Assemblée nationale a décidé est nul et sans effet. Il achève de prononcer de dures paroles, et dit : « je vous ordonne messieurs de vous séparer ». Mais les députés des communes ne bougent pas. Quelques jours plus tard, le roi cède et ordonne aux députés des autres ordres de se joindre à ceux de l'Assemblée nationale. Désormais tous les députés sont réunis dans une même et unique assemblée. Quelle victoire pour le Tiers État !

Les menaces se précisent

Au bouleversement politique s'ajoutent les malheurs de la disette. Les boulangers ne peuvent fournir le pain que réclament des ventres affamés. Malgré Necker, les troupes de l'armée royale arrivent en foule vers Paris et Versailles. Pourquoi ce bruit de bottes ? L'Assemblée nationale a peur, mais compte gagner la sympathie des soldats du roi. Elle pousse encore son audace et se déclare le 9 juillet 1789 : « Assemblée nationale constituante ». Désormais sa mission est de faire les lois nouvelles de la France. Un rude affrontement se prépare. Que le peuple se tienne prêt ! C'est au peuple de garder le peuple.

Le serment du Jeu de Paume

La création de l'Assemblée nationale bouleverse la monarchie et le roi ne peut accepter cela. Les crieurs publics annoncent la fermeture de la salle des États généraux. Après avoir erré sous la pluie dans Paris, les députés se rendent à la vieille salle du Jeu de Paume. Là, ils prononcent le serment de ne jamais se séparer avant de donner une constitution à la France.

L'insurrection de Paris

Le roi et son entourage ne peuvent accepter la création d'une Assemblée nationale constituante. Ils décident trois choses : remplacer Necker, le ministre réformateur, par des ministres ennemis des réformes ; faire venir les meilleurs régiments pour mater la révolte ; réduire Paris à merci.

Renvoi de Necker : 11 juillet 1789

Un beau jour, à son réveil, le roi ne reconnaîtra plus le royaume de ses pères. Le samedi 11 juillet, à force d'intrigues, les conseillers de la Cour obtiennent du roi un nouveau renvoi

Camille Desmoulins au Palais-Royal

Avocat et journaliste, Desmoulins se rallia dès 1789 à la Révolution. Il participa activement aux journées insurrectionnelles parisiennes, en appelant aux armes la foule réunie dans les jardins du Palais-Royal.

de Necker, l'ami des réformateurs et des banquiers. Que ce maudit protestant, cet étranger, mette une livrée de laquais et aille au diable des Pays-Bas ! Le roi compose alors un ministère tout dévoué aux aristocrates. Les ministres Breteuil, chargé autrefois d'apporter les lettres de cachet, et Broglie, un sabreur féroce, prennent les affaires en main. Ils veulent des mesures de force pour arrêter le mouvement qui entraîne la France vers une ère nouvelle.

Louis XVI et ses ministres font marcher les régiments vers Paris

30 000 excellents soldats, tous membres des régiments étrangers au service du roi, arrivent à Versailles et Paris. Ces hommes de troupe, Suisses ou Allemands, ne comprennent ni le français, ni ce que veulent les bourgeois agités. Ils ne connaissent que leur colonel et ne craignent aucun danger. Vêtus de leurs blancs manteaux, ils installent leurs tentes en rangs serrés, au Champ-de-Mars, aux Tuileries. Que veut cette armée étrangère avec ses chevaux, ses trains de canons, ses munitions ? Va-t-elle livrer Paris à la destruction et écraser les bons patriotes ?

Paris prend peur

Le dimanche matin 12 juillet, la nouvelle du renvoi de Necker parvient à Paris. La foule des prêteurs est consternée : les emprunts ne seront plus remboursés, la banqueroute est certaine. Ils pleurent leur argent prêté au roi ! Leurs papiers ne valent plus un sou. À midi, près du Palais-Royal, devant le « café de Foy », le journaliste Camille Desmoulins harangue de sa voix de bègue la foule qui se presse. Regardez, nous sommes cernés, les soldats campent aux Tuileries et bien-

tôt ils menaceront les passants de leurs charges. Les troupes ont pris quartier sur le Champ-de-Mars, sur la place Louis-XV, près des ponts et sur les boulevards. Faites comme moi, dit Camille, mettez une feuille d'arbre au chapeau. Aussitôt les marronniers sont dépouillés et les feuilles nouées dans les chevelures. Voici notre cocarde d'un jour, c'est le vert de l'espérance, crient les patriotes. Vers 5 heures de l'après-midi, les paisibles promeneurs du dimanche subissent aux Tuileries la charge des dragons du Royal-Alle-mand. Une barricade de chaises a opposé une bien faible résistance à la première attaque. Des coups de feu éclatent, les premiers morts tombent. La foule en émoi se lance dans une course à travers la ville en criant : « aux armes ! aux armes ! » Alors s'attroupe une foule de bourgeois qui craignent les armées du roi. Ils redoutent tout autant les mendiants, les « balayures de grenier » que la faim a poussés vers Paris. L'armée des gueux qui campe à Montmartre et l'armée du roi menacent Paris.

Événement du 12 juillet 1789 à six heures du soir

Le prince Lambesc entrant dans les Tuileries le sabre à la main, avec un détachement de son régiment Royal Allemand, abat à ses pieds un vieillard et fait fuir tous les citoyens qui s'y promènent.

La prise de la Bastille

Le renvoi de Necker et l'arrivée des troupes des régiments royaux montrent à tous les Parisiens que la Cour prépare une reprise en main de la situation. Tous les dangers sont réunis : menace de l'armée du roi, de l'armée des gueux et de la Bastille qui pointe ses canons.

Harné et Humbert
Joseph Harné, soldat de la Garde française et Jean-Baptiste Humbert, horloger, furent parmi les héros de la Bastille.

Cocarde tricolore
Les couleurs sont des symboles et des signes de ralliement : le bleu représentait la justice, le rouge la vaillance et le blanc la pureté. Depuis Henri de Navarre, le blanc est la couleur de la monarchie. Le bleu et le rouge sont les couleurs de la ville de Paris.

Prise de la Bastille
Cette estampe inachevée fut reproduite à des dizaines d'exemplaires.

Aux armes ! Aux armes !

Le peuple est bien chagrin du renvoi de Necker, le ministre des réformes. Un collectionneur a prêté un buste de Necker qu'on promène dans les rues de Paris. Cette figure de plâtre tire des soupirs de regrets : « Vive Monsieur Necker ! » Son renvoi n'annonce rien de bon. Paris est cernée de troupes. On veut la réduire comme on réduit une ville assiégée. Le blé n'arrive plus et jamais, depuis un siècle, le pain n'a été aussi cher. Paris a faim.

Une nuit incendiaire

Dans la nuit du 12 au 13 juillet, des incendiaires, torche en main, mettent le feu aux barrières* de la ville et renversent les poteaux où figurent les taxes sur les marchandises. Ils veulent que les marchandises entrent librement dans la ville. Au son du tambour, des hommes armés de haches, de pics et de sabres incendient quarante barrières qui illuminent la nuit comme les feux de la Saint-Jean. Le lundi 13 juillet au petit matin, les électeurs de Paris forment précipitamment un comité permanent et une milice bourgeoise. Ces bourgeois veulent contenir les guenilleux et les régiments du roi. Le bruit circule que le Garde-Meuble du roi est rempli d'armes. La foule s'y précipite et découvre les vieilles armu-res de la guerre de Cent Ans. Un bourgeois brandit le sabre de Du Gues-clin, un autre l'épée de François Ier. Ces vieilles haches et ces précieuses cuirasses donnent aux manifestants une allure d'armée de carnaval. Puis, au petit matin du 14 juillet, cette foule en émoi court aux Invalides et tire des caves des milliers de fusils. Paris a de vraies armes.

Les tours de la Bastille menacent Paris

Avec ses huit grosses tours rondes de vingt-trois mètres de hauteur, ses murailles épaisses, la Bastille monte une garde féodale sur Paris. À chaque rébellion de la ville, qui tint la Bastille, tint Paris en respect. En cas de bataille avec les régiments du roi, les bourgeois sont pris entre deux feux. La forteresse chargée de mystère est depuis quelques jours encore plus lourde de menaces. L'excellent officier Deflue, du régiment Salis Samade, a pris avec ses troupes toutes les dispositions néces-saires. Son détachement de trente-trois soldats d'élite peut résister à toute attaque. Ils ont rentré toute la poudre de l'Arsenal. Il y a, en outre, dans la forteresse, soixante-dix invalides, vieux soldats rompus à l'exercice mili-taire. À présent, le gouverneur De Lau-nay sait que la place dispose en tout

COCARDE ROYALE ET DE LA LIBERTÉ,
Aux couleurs distinctives de l'Hôtel-de-Ville de Paris.
A la gloire immortelle de la Nation Françoise, régénérée le 17 Juillet 1789.

haut des tours crénelées, les canons pointés peuvent à tout moment cracher leur feu de mort sur les faubourgs. Avec 3 000 cartouches, des centaines de charges à canon, les créneaux bouchés, les murs renforcés, cette place semble imprenable. Vingt milliers* de poudre y sont entreposés. De quoi faire sauter tous les environs et faire trembler Paris !

La prise de la Bastille

Les hommes aux pieds nus et les bourgeois aux souliers à la boucle d'argent veulent désarmer la Bastille. Depuis 10 heures 30 du matin, des envoyés du comité permanent de l'Hôtel de Ville de Paris demandent au gouverneur d'ôter les canons des tours. Mais, tandis que des pourparlers s'engagent, par les rues du faubourg Saint-Antoine, la foule dans un tumulte effrayant arrive au pied des murailles. À 1 heure 30 de l'après-midi, le feu commence. Des charrettes brûlent, les canons de bronze et les canons de fer tirent, les morts se comptent par dizaines. Vers 4 heures, par un trou ovale ménagé dans une porte du pont-levis, le capitaine Deflue fait savoir que bientôt la forteresse va sauter. Tout va voler en éclats. Mais à l'instant où tout risque de prendre feu, le pont-levis se baisse, la Bastille capitule, à 5 heures de l'après-midi. La foule se rue et transforme sa peur en fureur. Le gouverneur est décapité et sa tête, perchée sur un bâton, trois jours durant, va faire le tour de la ville.

La victoire de Paris

Aussitôt que le roi a eu connaissance des événements, il donne ordre à ses troupes de quitter la ville. Le surlendemain, il rappelle le bon Necker, le ministre chéri des Parisiens et renvoie les ministres aristocrates. Désormais, Paris a de la poudre et des balles. Les risques d'une émeute des ventres creux, le retour des soldats du roi ne sont plus autant à craindre. Tous les Parisiens montent sur la Bastille et jettent des milliers de pages d'archives qui tombent comme les feuilles mortes de l'Ancien Régime*. Le monstre de pierre est vaincu, la victoire est totale.

La Grand'Peur

Après la prise de la Bastille, Louis XVI vient à Paris et orne son chapeau d'une cocarde tricolore. Le roi semble donner son accord à tous les changements. Quand Paris se calme, la province s'enflamme à son tour. Dans les derniers jours de juillet 1789, les campagnes se révoltent et des peurs paniques affolent les communautés villageoises.

Fureur paysanne

Les paysans prennent d'assaut les « bastilles » des campagnes. Armés d'un bélier, ils enfoncent la porte du château. Les nobles s'enfuient dans les voitures. « Malheur aux châteaux, paix aux chaumières ! »

Le roi met la cocarde tricolore : le 17 juillet 1789

Au lendemain de la prise de la Bastille, les pics des ouvriers rompent les murs de la forteresse. Le monument va disparaître pour que le cauchemar de la tyrannie s'évanouisse à jamais. Les pierres de la Bastille, envoyées dans toute la France, seront les dépouilles des abus et les trophées de la liberté. Une clé des cachots partira en Amérique montrer au président Washington que la liberté triomphe des deux côtés de l'Océan. Paris s'est octroyée illégalement le droit d'élire un maire et de nommer le général La Fayette Commandant de la garde nationale * parisienne. Que dira le roi de sa ville de Paris qui prend de si audacieuses initiatives ? Louis XVI comprend que le torrent de la Révolution est trop fort pour résister. Le 17 juillet 1789, il quitte son château de Versailles, part pour Paris où le peuple l'attend pour fêter la joyeuse entrée de son souverain. Au bout de longues heures de parcours, le cortège, environné d'une foule immense, parvient à l'Hôtel de Ville. Le roi légitime * les changements en reconnaissant le pouvoir civil du nouveau maire de Paris et les pouvoirs militaires du général La Fayette. Afin que tous comprennent par un geste symbolique quelles sont ses intentions, Louis XVI accroche à son chapeau une cocarde rouge et bleue, aux couleurs de la ville de Paris. Avec la couleur blanche, ces couleurs seront celles de la France.

La révolte des villes de province

Les villes du royaume applaudissent aux nouvelles de Paris. Les députés rendent un compte minutieux des événements à leurs électeurs de province. À l'image de Paris, les villes changent la composition des municipalités et désignent des maires amis des réformes. Elles aussi forment des milices où s'enrôlent les soldats de la bourgeoisie, « les gardes nationaux » à la tunique bleue. Les villes en armes et les rebelles se mettent à leur tour sur le pied de guerre pour faire triompher la Révolution.

L'année de la peur : l'anno de la paou *

Avec leurs bâtons et leurs fusils, les paysans sont en émoi. Il y a tant de craintes inexpliquées, tant d'inquiétudes accumulées depuis des siècles qu'on a peur d'un rien. Les gens des campagnes s'émeuvent comme des enfants. Il est vrai qu'en ce temps de famine et de meurtre, les gens de la route, les mauvais sujets sans feu ni lieu , courent de village en village. Tous ces vagabonds à la longue barbe qui se blottissent dans les bois, tout ce pauvre monde qui ne connaît que Dieu et le pain, effrayent les braves gens des villages. Alors, dans les nuits de l'été, chaque ombre, chaque bruit devient suspect. Le tocsin * fait entendre le tintement du danger. Sainte Vierge et saint Jean Baptiste, priez pour nous, les Anglais, les Polonais et les Hongrois arrivent ! Un bruit court à travers la montagne que 40 000 soldats féroces, venus en ballon, pillent et tuent. Les pères s'en vont combattre en disant

adieu à leurs femmes et à leurs enfants. Mais quand on arrive sur le champ du combat, on ne rencontre que des vaches, des braconniers qui chassent ou une noce qui tire des coups de feu en l'honneur des mariés. Toutes les menaces n'étaient que le fruit de l'imagination. Certaines campagnes n'oublieront pas ce 22 juillet 1789, jour de la Sainte-Madeleine où tous recommandèrent leur âme à Dieu. Longtemps, elles raconteront les souvenirs de cette année de la peur.

La révolte des campagnes

La peur passée, les paysans tiennent encore leurs armes. En attendant que s'achève la nouvelle récolte, le pain reste rare et cher. La rage de la faim anime les ventres et les âmes. Dans ce temps de revanche, les paysans se

rappellent les injures passées. Ils courent dans les châteaux et extirpent des coffres à archives les carnets d'amendes et les papiers des notaires. Ils déchirent ou découpent avec des ciseaux les preuves de leurs propriétés enchaînées. Plus de papiers, plus de preuves ! Qu'on les brûle pour que le feu rende la terre libre ! Jamais on ne vit de plus beaux feux de joie. Les paysans courent à l'église, sortent les bancs des seigneurs qui deviennent les bancs des buveurs du dimanche. Ils grimpent sur les toits des châteaux et arrachent les girouettes. Qu'on les pende à l'envers comme les volailles à plumer ! Des fusillades tuent les pigeons du seigneur, les villageois plantent un mai* sur la place de l'église, puis accrochent un écriteau où on lit : « malheur à qui paiera les rentes* ».

Pillage de l'hôtel de ville de Strasbourg

Le 22 juillet 1789, de 4 heures de l'après-midi à 7 heures du soir, une foule déchaînée pilla l'hôtel de ville de Strasbourg. Toutes les grandes villes firent leur révolution municipale. Ici, la troupe assiste passivement au pillage des artisans qui crient « Point d'impôts ».

juillet
août
1789

La nuit du 4 août

Pendant que l'on abat les murs de la Bastille, la révolte des campagnes se poursuit. Les députés de l'Assemblée nationale tremblent et veulent arrêter la fureur paysanne. Alors, dans la nuit du mardi 4 août au mercredi 5 août, les députés proposent l'abolition du régime féodal. Les droits féodaux ne sont pas purement et simplement supprimés, mais déclarés rachetables.

La nuit la plus longue

Cette nuit-là, tous les nobles et les ecclésiastiques renoncèrent à leurs privilèges.

Touchez là, Monsieur le curé...

Je savais bien que vous seriez des nôtres, dit le paysan. Cette estampe glorifie l'alliance des premiers curés du Poitou qui vinrent se joindre aux représentants du Tiers État.

La fureur paysanne inspire de la crainte aux députés

Tandis que les paysans continuent à allumer des bûchers avec les papiers qui établissaient leur servitude, les députés de l'Assemblée nationale prennent peur. Il faut arrêter les paysans en furie qui harcèlent les châteaux de la noblesse. « Qu'on est malheureux d'habiter les châteaux en ce moment », écrit une châtelaine. Pour que les révoltes cessent, il ne faut pas prononcer de belles paroles, mais donner des avantages aux gens des campagnes. Les nouvelles qui parviennent à Versailles sont si alarmantes qu'elles vont donner lieu à la plus folle nuit de la Révolution.

Assemblée nationale, le 4 août à onze heures du soir

Quand la séance de nuit de l'Assemblée nationale s'ouvre, des regards et des paroles échangés indiquent qu'il se trame quelque chose. Le président de l'Assemblée donne la parole à un gentilhomme, le vicomte de Noailles. Avec flamme, il propose pour rétablir la tranquillité des campagnes, l'égalité des impôts, l'admission de tous les citoyens à tous les emplois, la possibilité de racheter les droits seigneuriaux, la suppression du servage. Un des seigneurs les plus riches de France, le duc d'Aiguillon, prend à son tour la parole pour approuver le vicomte. L'émotion la plus forte s'empare des têtes. Cette générosité émeut jusqu'aux larmes l'Assemblée qui se livre au délire des sacrifices. Messieurs de la noblesse, disent les bourgeois, si vous renoncez aux corvées*, aux banalités*, aux rentes perpétuelles*, à vos droits féodaux, nous aussi nous abandonnons ces droits. Nul n'osait espérer ces changements avant des siècles. En un instant la bastille de l'égoïsme s'écroule. Mais cette nuit ne fait que commencer.

Minuit

La frénésie générale gagne encore les esprits. Tous les députés parlent. Personne ne s'entend. Tous veulent faire un sacrifice. Ils se précipitent au bureau du secrétaire du président de l'Assemblée et renoncent aux privilèges de leur ville ou de leur province.

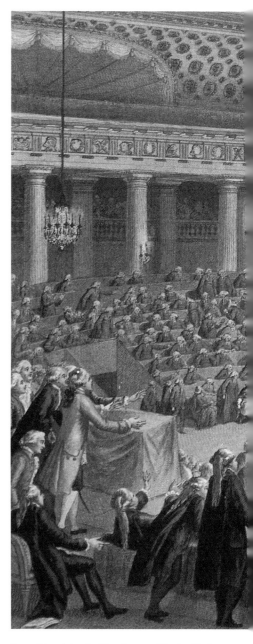

Les députés de Bordeaux, Paris, Reims et de dizaines d'autres villes, les députés de Normandie, du Poitou, et des autres provinces rivalisent d'empressement pour abandonner leurs avantages particuliers. Les Français se lient par la chaîne de l'égalité. On ne songe qu'à la France et à son bonheur.

La nuit sans fin

Les nobles renoncent encore aux justices seigneuriales, aux pensions, aux privilèges de la chasse. Mais la gravité de l'instant n'empêche pas de

se livrer à la bonne humeur. Un comte se lève et déclare : « je demande la permission d'offrir aussi mon moineau ». Certains regrettent de ne pas avoir de sacrifice à faire. Puis c'est au tour des ecclésiastiques d'entrer en scène et d'offrir à la nation la part de leur sacrifice. Les curés renoncent à leurs multiples bénéfices et déclarent les dîmes rachetables. Quelques mots vont suffire pour faire disparaître la dîme, l'impôt vieux de mille ans. Vers trois heures du matin, avant de se séparer, les députés, les yeux rouges de fatigue, s'aperçoivent qu'ils ont oublié de parler du roi. Dans l'ivresse finale, ils acclament Louis XVI et lui décernent le titre de « Restaurateur de la liberté française ».

« Mais qu'est-ce que nous avons donc fait, messieurs ? »

Les lendemains de la folle nuit, il fallut mettre au net toutes les propositions. Bien des remords gagnent alors les esprits. Les paysans sont libérés d'une foule de droits féodaux à la condition d'en payer le rachat. Sauf pour les serfs et quelques droits honteux, la liberté n'est pas offerte. Elle est à acheter. Le peuple des campagnes a lu dans les journaux le début des articles qui annonce : « la féodalité* est supprimée ». Il ne lit pas la suite de l'annonce qui dit qu'elle est maintenue tant qu'ils n'auront pas remboursé. Les paysans se persuadent qu'il n'y a plus rien à payer. Les Jacques* lutteront pendant quatre ans jusqu'à la mort définitive du régime féodal.

La Déclaration des droits de

La fureur paysanne s'apaise après les décisions arrêtées la nuit du 4 août. Les Constituants* veulent alors proclamer à la terre entière que des temps nouveaux sont arrivés. Ils rédigent et proclament la *Déclaration des droits de l'homme et du citoyen.*

Il faut faire l'Évangile* des temps nouveaux

Les mesures promises la nuit du 4 août calment la fureur paysanne. Les braises des châteaux sont encore brûlantes quand les députés de l'Assemblée reprennent leurs travaux sur la Constitution. Ils veulent imiter les hommes d'Amérique qui firent une Déclaration des droits au début de leur lutte d'indépendance. La Révolution française est un évangile qu'il faut annoncer à tout l'univers. Un comité de députés, sages et savants, se met au travail et proclame, le 26 août 1789, en 17 articles, une *Déclaration des droits*

Allégorie figurant sur l'une des nombreuses représentations de la Déclaration des droits de l'homme.

Le peuple souverain

Autre allégorie : la démocratie tenant les droits de l'homme, les marques du peuple souverain.

l'homme et du citoyen

de l'homme et du citoyen. Voilà la bonne nouvelle des temps nouveaux.

Les droits de l'homme

Les révolutionnaires pensent que l'homme se définit par une seule chose, son appartenance au genre humain. Ils ne veulent plus d'individus au-dessous ou au-dessus de la condition humaine. Voyez, disent-ils, il y a quelques jours, avant la nuit du 4 août, il y avait encore des serfs. Ces êtres ne pouvaient ni transmettre leurs biens à leurs enfants, ni défendre leurs droits devant les tribunaux. Souvenez-vous aussi des adresses du roi à son peuple qui disait : « à nos amés* et féaux sujets ». Il n'y aura plus de sujets, il n'y aura que des citoyens. Il est fini le temps où certains se disaient d'une race supérieure. Plus personne ne sera au-dessus de la loi et nul ne se réclamera d'un privilège. Le baptême et la religion ne donneront plus aucun avantage. Tous les Français, catholiques, protestants, juifs, ou sans religion, ont droit à un état civil. Leur mariage sera reconnu comme légal par les autorités. Mais quelle condition faut-il remplir pour avoir tous ces droits nouveaux ? Il suffit d'être homme. Les seules distinctions entre les hommes tiendront au mérite personnel. Que celui qui l'emporte par la capacité, l'intelligence et le caractère s'élève au-dessus des autres ! Il ne devra qu'à lui-même sa supériorité.

Les droits du citoyen

Mais l'homme ne vit pas seul, au fond d'un bois, comme un être monstrueux. Il vit au milieu d'une nation et seule la nation peut avoir des droits sur lui. Le peuple sera donc la source du pouvoir. Ce qu'il veut sera la loi. Mesurez, disent les amis du roi, les conséquences de ce principe. Dans l'antique monarchie, le roi était la loi et désormais c'est le peuple qui fait la loi. La volonté de vingt-six millions d'hommes doit l'emporter sur la volonté d'un seul, répondent les amis de la Révolution. Entre ces deux principes, la souveraineté du roi ou la souveraineté du peuple, il y a une incompatibilité complète et il n'est que trop facile de voir qu'une lutte va les mettre aux prises jusqu'à ce que l'un terrasse l'autre.

Une ère nouvelle

Les hommes de la Révolution eurent toujours le sentiment de fonder une ère nouvelle. Comme Dieu grava les Tables de la Loi sur le mont Sinaï, les Révolutionnaires écrivirent souvent sur des tables de pierre les articles de la Déclaration. Ces articles sont les 17 commandements des temps nouveaux.

26 août 1789

Les journées d'octobre

Le pain manque dans la capitale et la faim tenaille le peuple. Le roi n'a pas donné son accord à la *Déclaration des droits de l'homme et du citoyen*. Le général La Fayette, à la tête de son armée parisienne, et tous ceux qui voudraient soustraire Louis XVI à la séduction des aristocrates de Versailles*, décident de le ramener à Paris.

Caricature anglaise

Dès le début de la Révolution, les événements passionnèrent l'Europe. Ici, on se moque des femmes du peuple qui ramènent « le boulanger », Louis XVI. La reine Marie-Antoinette est appelée « bouchère » parce que les femmes réclamaient non seulement du pain, mais aussi de la viande.

Paris réclame Louis XVI

Voici octobre et les premières feuilles d'automne jaunissent. Jamais notre bon père, le roi Louis XVI, ne montrera son amour pour le peuple tant qu'il sera livré à la séduction des aristocrates de Versailles. Un père doit vivre auprès de ses enfants. Qu'il vienne habiter à Paris et fournir du travail à ceux qui en manquent. Qu'il vienne vivre au milieu des bons Parisiens et qu'il voie nos souffrances, disent les Parisiens. Quand la neige tombera, il sera près de nous. Dans un riche banquet à Versailles, les farouches soldats du régiment des Flandres et les gardes du corps du roi ont refusé de boire à la santé de la nation. Avec ces méchantes gens qui n'aiment que la cocarde blanche, le roi ne se presse pas d'accepter les décrets qui ont suivi la nuit du 4 août 1789 et la *Déclaration des droits de l'homme*.

La révolte des dames des Halles de Paris

Le matin du lundi 5 octobre 1789, aux Halles de Paris, la mère Giroflée et Jacquot-La-Grosse-Patte, tous gens des faubourgs, partent pour l'Hôtel de Ville. On gronde, car le pain est toujours trop cher. À chaque instant, la foule grandit. Des femmes forcent les portes de l'Hôtel de Ville, enfoncent des armoires, s'arment de sabres, de fusils et de couteaux de chasse. En vestes et tabliers de cuir, des ouvriers se mêlent aux femmes, puis se déguisent en femmes. Quand la troupe charge, elle frappe moins fort sur les dames.

La marche sur Versailles

En pantoufles roses ou sabots crottés, les femmes crient : « À Versailles ! À Versailles ! » La femme Lavarenne, garde-malade, la Veuve Brennair, couturière, la fille Raulin, bouquetière, et mille autres ouvrières ou filles de rue, se mettent en campagne avec balai, chapeau ou bonnet rond. Les légions féminines traînent avec elles deux canons de marine et sur le midi se mettent en route pour le château de Versailles. Dans la forêt de Meudon, le roi qui traque une bête des bois ne sait pas qu'une foule hurlante marche vers lui et qu'il achève sa dernière chasse. Les soldats en jupon, trempés par une pluie furieuse, avancent d'un bon pas. Vers 5 heures de l'après-midi, les grilles du château sont en vue. Les femmes envahissent la cour des ministres, grimpent sur les boutiques qui s'y trouvent,

supplient qu'on leur donne du pain. Qu'on apaise leur faim ou le sang coulera! Le roi Louis XVI, de retour au château, reçoit vers les 6 heures du soir une délégation de femmes. Louison Chabry, ouvrière en sculpture de dix-sept ans, les sabots pleins de boue à la main, se jette aux genoux du roi et l'embrasse sur la main. Elle dit qu'à Paris, on a faim. Le roi la relève et promet des mesures. Il décide aussi d'accepter la *Déclaration des droits de l'homme et du citoyen* et les décrets du mois d'août.

Le retour du roi et de la famille royale à Paris

En fin d'après midi, le général La Fayette commandant la garde nationale intervient à son tour. À la tête d'une armée de 20 000 hommes, il part pour Versailles. Le lendemain, mardi 6 octobre, le roi comprend que les forces qui l'entourent sont trop grandes et qu'il ne servirait à rien de résister. Louis XVI et sa famille partent pour Paris. Le cortège royal ressemble plus à un retour de foire qu'à un défilé d'apparat. Le peuple de Paris tient Louis XVI et l'on ne sait pas si c'est un roi aimé qui entre dans Paris ou un prisonnier qu'on enferme dans la ville.

Les femmes à l'Assemblée

Vers six heures du soir, les femmes entrèrent de force à la séance de l'Assemblée nationale. «Mesdames les députés» réclamaient que l'on taxe le pain à 6 sols les quatre livres et la viande à 6 sols la livre.

Les derniers mois de l'année

En octobre 1789, Paris redevient la capitale politique de la France, le centre de tous les pouvoirs. Le régime d'Assemblée s'organise. Mais la question qui empoisonne toute la vie de la nation n'a toujours pas été résolue : où trouver de l'argent pour rétablir les finances de l'État ? C'est alors que la nation décide de s'emparer des biens du clergé.

Club patriotique des femmes

La Révolution, à mesure de sa marche, donne de plus en plus de droits aux femmes, sans jamais leur donner le droit politique.

Paris, centre de tous les pouvoirs : octobre 1789

Les députés de l'Assemblée nationale ne tardent pas à venir rejoindre le roi et la cour à Paris. Paris redevient, en octobre 1789, la capitale politique de la France qu'elle avait cessé d'être depuis le départ de la cour à Versailles en 1682. Désormais tous les pouvoirs, ceux du roi et de l'Assemblée nationale, sont réunis dans la ville, et le turbulent peuple de Paris tient le gouvernement sous sa surveillance. Gare à ceux qui vont aux Tuileries* en se dispensant de porter de manière évidente le signal de la liberté, la cocarde aux couleurs tricolores. Les aristocrates apeurés ne peuvent porter ouvertement la cocarde blanche, leur signe de ralliement. Pour manifester leur opposition, ils accrochent parfois une cocarde blanche sur la tête de la statue d'Henri IV au Pont-Neuf.

Ce n'est qu'en mai 1793 que de tels clubs virent le jour, mais, dès le mois d'octobre suivant, les clubs de femmes furent interdits.

L'Assemblée nationale s'installe dans un manège d'équitation

Le 12 octobre 1789, l'Assemblée nationale s'installe provisoirement à l'Archevêché de Paris, pendant que l'on finit d'aménager la salle du Manège*, près du château des Tuileries. Le docteur Guillotin, célèbre pour sa machine à couper les têtes, se rend compte que 1 200 députés siégeant ensemble dégagent une bien mauvaise atmosphère. Pour aménager la salle, il conseille de pratiquer des ouvertures et d'installer des ventilateurs. Tous les matins, le sol de la salle est aspergé de vinaigre. Il conseille également de disposer la salle en amphithéâtre avec des bancs à dossier vert pour les députés. Il fait placer l'orateur et le président de l'Assemblée au milieu de la salle afin que toute l'assistance puisse les voir et les entendre. Aux deux extrêmités de la salle, de hauts et profonds gradins accueillent le public. Tous les débats se feront sous le contrôle du peuple parisien. L'Assemblée nationale siège en permanence et son pouvoir est à égalité avec celui du roi.

1789

Française devenue libre

«... Et nous aussi, nous savons manier d'autres armes que l'aiguille et le fuseau», disent les femmes révolutionnaires.

La banqueroute* de l'État

Toutes les mesures prises depuis des mois n'ont pas comblé le gouffre du déficit du trésor royal. Le crédit n'existe pas, aucun banquier ne veut prêter de l'argent et l'État a un grand besoin d'argent. Il ne peut assurer le paiement de ses engagements. La banqueroute menace. Des élans de générosité poussent les Français aux sacrifices. Les députés ôtent les boucles d'argent de leurs souliers et les offrent à l'État. Le roi fait fondre sa vaisselle d'or et d'argent. Le clergé abandonne toute son orfèvrerie superflue. Les chanoines de Paris apportent une magnifique lampe d'or en forme de vaisseau qui vient de la cathédrale Notre-Dame. Le don de ces trésors ne suffit pas à rétablir le budget d'un royaume. Les impôts rentrent mal et les nouveautés désorganisent tout l'ancien système.

Le mise à la disposition de la nation des biens du clergé

Les propriétés de l'Église forment un immense butin mal défendu. À quoi bon laisser aux prêtres des terres dont ils font parfois un si mauvais usage? Ne vaudrait-il pas mieux employer leurs richesses à combler une fois pour toutes le déficit de l'État? Non, répondent des membres du clergé, nos terres sont de vraies et bonnes propriétés, personne n'a le droit de nous les prendre, même au nom de l'intérêt de l'État. Mais les ecclésiastiques sont eux-mêmes divisés. Beaucoup pensent qu'il faut retrouver la pureté évangélique de l'Église primitive, celle du temps où l'Église catholique était sans richesses. Ils se moquent des évêques à la crosse d'or et au cœur de bois. Qu'importe le sacrifice de nos richesses! Les riches n'entrent pas au paradis. Les nécessités de l'État poussent à prendre l'une des décisions les plus graves de la Révolution: la mise à la disposition de la nation des biens du clergé. Le 2 novembre 1789, par 568 voix contre 346, les députés adoptent le décret présenté par Mirabeau. La richesse de l'Église sera détruite à jamais et bien des Français pourront assouvir leur soif de terres aux dépens des «calotins*».

La machine de M. Guillotin

Le 1er décembre 1789, le docteur Joseph-Ignace Guillotin, né à Saintes en 1738, député de la ville de Paris à l'Assemblée nationale, propose au nom de l'égalité devant la loi un engin à couper la tête. C'est au nom de l'humanité que le docteur fait cette proposition. Il ne veut plus que les bourreaux s'acharnent sur les condamnés en les frappant sur le corps jusqu'à ce que les victimes rejettent par tous les pores le sang et l'eau dont on les a gavés. Il déclenche un rire général dans l'Assemblée quand il déclare: «avec ma machine, je vous fais sauter la tête en un clin d'œil et vous ne souffrez pas». Ce bon humaniste ne rencontre pas tout de suite le succès et il faut attendre le 20 mars 1792 pour que la nouvelle machine à tuer soit adoptée. Le charpentier parisien Guédon, le fournisseur des potences, fait un devis de 5 660 F pour la construction de la machine. Le prix semble trop élevé, alors on demande au charpentier allemand Schmidt de construire le «rasoir national». Il construit la guillotine pour 305 F seulement.
Le 15 avril 1792, le bourreau Samson fait des essais sur cinq cadavres. La première exécution eut lieu le 25 avril 1792 en place de Grève à Paris. Nicolas Jacques Pelletier, assassin et voleur de grand chemin, fut le premier décapité à la guillotine.

Les mois de paix

Depuis le 6 octobre 1789, le roi vit à Paris et les premiers mois de l'an 1790 commencent sous les meilleurs auspices. Toutes les nouveautés semblent être acceptées par le roi. Malgré quelques troubles sanglants, l'année 1790 s'annonce comme l'année de la fraternité et de la paix.

Les pactes de fédération entre les provinces

Puisque le roi accepte les transformations de la France, tous les Français se réjouissent et se tendent la main. On lit à haute voix pour les frères illettrés la *Déclaration des droits de l'homme et du citoyen* afin que tous apprennent par cœur ce catéchisme des temps nouveaux. À travers les anciennes provinces, les jeunes Français courent les uns vers les autres pour se tendre les bras. Comme en Amérique, ils forment des fédérations. La jeunesse d'Anjou court à Pontivy le 19 janvier 1790 pour dire à celle de Bretagne que, désormais, elles forment un peuple de frères. Qu'un danger menace et ils se porteront secours. Les Français ne seront plus jamais des étrangers vivant dans un même royaume. On clame partout la fraternité et l'égalité nouvelles. On préfère ignorer les épisodes sanglants.

La suppression de l'impôt du sel, la gabelle

Au printemps 1790, l'infâme gabelle est supprimée dans les provinces où on la subissait. Quel temps heureux !

Débit de sel

Le 31 mars 1790, l'impôt du sel, la gabelle, fut définitivement aboli. On ne se doute pas quelles luttes les Français soumis à l'impôt du sel durent fournir pour abattre cet impôt odieux. La gabelle était perçue par la Ferme générale, un organisme d'une puissance politique, financière et militaire considérable. À dater du 1er avril 1790, le sel fut vendu au prix coûtant. Ce fut l'un des plus grands changements dans la vie quotidienne des Français.

MUNICIPALITÉ DE PARIS.

DÉPARTEMENT

DES SUBSISTANCES & APPROVISIONNEMENS.

VENTE NATIONALE ET LIBRE

DU SEL,

rue Saint - Germain - l'Auxerrois.

Du Mercredi 31 Mars 1790.

LE Public est averti, qu'en exécution du Décret de l'Assemblée Nationale, sanctionné par le Roi, à dater du premier Avril 1790, le SEL sera vendu, pour le compte de la Nation, au Magasin établi à cet effet, *rue S.-Germain-l'Auxerrois*, à *trois sols* la livre, tant en gros qu'en détail.

La Vente en gros sera ouverte au quintal & demi-quintal, tous les jours, depuis neuf heures du matin jusqu'à deux heures après-midi, à l'exception des Fêtes & Dimanches.

La Vente en détail aura lieu tous les jours, sans exception & à toute heure de jour.

On payera dans la cour même du Magasin, & le *Sel* sera délivré de suite.

Signé, VAUVILLIERS, *Lieutenant de Maire.*

De l'Imprimerie de LOTTIN l'aîné, & LOTTIN de S.-Germain, Imprimeurs-Libraires Ordinaires de la Ville, rue S.-André-des-Arcs, N° 171. 1790.

Les horribles contrebandiers de Catinat* qui ravageaient les provinces de
Bretagne et d'Anjou ne viendront plus
piller les villages. Les archers* de
gabelle ne fouilleront plus dans nos
buffets, disent les familles, et cette
année, le cochon de l'hiver sera salé
avec du sel propre et blanc. Et quelle
économie! Dans les débits de sel, il
nous en coûtera dix fois moins cher
qu'autrefois.

Le roi Louis XVI, « Restaurateur de la liberté française »

Comme les nobles, les paysans
auront à l'avenir des pigeonniers et des
armes pour traquer le sanglier. Dans
les villes, les fabricants d'éventails
peignent des scènes chantant le bonheur de la France et les vendeurs de
cocardes bleu-blanc-rouge ont bonne
marchandise. Les aristocrates qui préfèrent la cocarde blanche des royalistes, fuient toujours plus nombreux vers
l'étranger, ils prennent en famille la
route des Flandres*. À l'Assemblée
nationale, le 4 février 1790, le bon roi
Louis XVI a fait le serment de respecter
les nouvelles lois. Tous les députés ont
frémi de joie en l'entendant prêter
serment devant Dieu et les hommes. Il
jure de respecter la nation et la loi. Que
tous les bons citoyens de la ville de
Paris illuminent la façade de leurs
maisons! Dimanche 14 février 1790, il
y aura une grand-messe chantée à
Notre-Dame de Paris pour marquer
l'alliance du roi et de la nation. On tirera
le canon, on fera battre les tambours
et jouer les orchestres afin que tous
sachent que Louis XVI est vraiment
« Le Restaurateur de la liberté française ». Tous les citoyens lèvent leurs
mains et abaissent leur épée pour jurer
d'être fidèles à leur serment. Que la
paix règne dans les cœurs, songent-ils.
Oublions le fatal réverbère qui servit
l'an dernier aux pendaisons des aristocrates. Quand viendra le 14 juillet 1790,
nous ferons une grande fête à Paris
pour dire notre joie et notre union.

Le roi à l'Assemblée nationale

Le début de l'année 1790 marque un
moment d'apaisement. L'union est
faite entre le roi et la nation. Les
fleurs de lys semblent faire bon
ménage avec l'Assemblée nationale,
mais cela ne durera pas longtemps.

La fête de la Fédération

Un enthousiasme prodigieux naît dans les villes et villages. De lieux en lieux, les bourgeois se prêtent des serments d'alliance et de fraternité. Ils forment des fédérations de province qui décident de faire une fête de toutes les fédérations à Paris, le 14 juillet 1790. Ce moment sera l'un des plus doux de la Révolution.

La Fayette et la liberté

La France, accompagnée de la liberté et de Minerve, vient offrir le serment civique au héros de la guerre d'Amérique.

Dijon, le 16 mai 1790

Ce jour-là eut lieu à Dijon l'une des innombrables fêtes de la fédération des provinces françaises. Les drapeaux des quatre départements de l'ancienne Bourgogne se réunissent et tous les jeunes des cantons jurent de vaincre ou de mourir.

La fraternité des provinces

Les jeunes des villages et des provinces veulent que toutes les mains s'unissent pour forger la nation nouvelle. Avec leurs beaux uniformes, les citoyens-soldats des gardes nationales* prêtent des serments fraternels et guerriers. Ils jurent de mourir pour défendre la patrie et de vaincre la résistance des aristocrates. Dans les villes et les campagnes, les bourgeois se cotisent pour confectionner de beaux drapeaux en soie, peints d'ornements à la gloire des temps nouveaux. Ces bannières de la liberté marquent l'union des cœurs et des volontés. Les drapeaux vont se mettre en marche. Dans chaque fédération*, on les promène de département en département, de province en province. On s'incline devant eux comme devant une relique* sainte. L'enthousiasme gagne tellement les cœurs que naît l'idée de se rendre à Paris le 14 juillet 1790, pour l'anniversaire de la prise de la Bastille. Les 83 départements de la France nouvelle diront ce jour-là la volonté de former un même peuple.

Le pèlerinage à Paris, Ville sainte

Il est long le chemin qui mène des extrémités du royaume à Paris. Du mont Jura, des rivages de l'Océan, des bords du Rhône, les gardes nationaux et leurs drapeaux s'en vont à pied pour Paris. Ils ont l'ardeur de ceux qui, au temps des croisades, marchaient jusqu'à Jérusalem. Leur route est un chemin de gloire. Partout, les villes dressent des arcs de triomphe en fleurs, ornent leurs rues de feuilles et de branches. Par les routes encombrées, les drapeaux aux trois couleurs recueillent les vivats* et les acclamations. Nul bourgeois ne voudrait manquer ce moment béni où vont se dérouler les épousailles de la nation. Une foule innombrable franchit les routes, les cols, les rivières et aucun seigneur n'ose prélever des taxes ou péages. La marche des gardes nationaux forge un nouveau royaume de France qui devient un espace uni et sans frontières. Quand, des hauteurs lointaines qui environnent Paris, ils aperçoivent la ville, leur cœur palpite sous leurs uniformes splendides. Presque pour tous, c'est la première fois qu'ils font un si grand voyage! La première fois qu'ils verront le roi et les lieux où naquit la liberté.

La fête de la Fédération

Pour accueillir ce peuple en marche, les Parisiens se sont mis à l'ouvrage. Ils impriment des plans, des guides et offrent des logements. Le lieu où doit se dérouler la cérémonie anniversaire

SERMENT FÉDÉRATIF ET NATIONAL, PRONONCÉ AU CHAMP DE MARS, LE 14 JUILLET 1790.
SERMENT DU ROI.

Moi, Roi des Français, je jure à la Nation d'employer tout le pouvoir qui m'a été délégué par la loi constitutionnelle de l'État, maintenir la Constitution décrétée par l'Assemblée Nationale et acceptée par moi, et faire exécuter les lois.

est le Champ-de-Mars, face à l'École militaire. Pour la fête de la Fédération, les Parisiens ont décidé de bâtir un arc de triomphe, un autel de la Patrie et un amphithéâtre. Mais il n'y a pas assez de terrassiers pour remuer toute cette terre. Alors, on voit les femmes aux belles robes prendre pics et pioches et faire des travaux de terrassement. Avec un entrain endiablé, tout Paris donne son temps libre en faisant des journées de brouette. Tout est prêt le 14 juillet 1790.

300 000 personnes assistent à une messe célébrée sur l'autel de la Patrie et le général La Fayette prononce le serment de fidélité à la nation, à la loi et au roi. Les provinces donnent des offrandes à Louis XVI. Voici l'épée des Bretons et l'anneau des Tourangeaux*. Le roi, la liberté et la nation paraissent à tout jamais unis.

Des fêtes qui n'en finissent pas

La fête a été si belle que peu de participants ont remarqué que le roi et la reine ont été séparés pendant la cérémonie. Chose inouïe autrefois dans le faste royal ! Le roi a été nommé chef de la fête, mais on lui a fait comprendre qu'on aurait pu lui préférer quelqu'un d'autre. Qu'importe les humiliations du roi ! Pour l'instant, les gardes nationaux regagnent leur province. Ils emportent avec eux des médailles, des diplômes, des certificats des lieux saints de la

La fête de la Fédération

Premier anniversaire de la prise de la Bastille, à Paris

liberté. Les cortèges joyeux avancent au son du tambour et du fifre*. À chaque étape, on festoie avec pâtés, jambons et volailles. Le vin coule des tonneaux couverts de guirlandes. Ici les filles se déguisent en 83 départements, là on fait des concours pour monter en haut de mâts savonnés où flotte un drapeau tricolore. À Lille, un éléphant traîne un char romain qui montre un buste du roi Louis XVI. Jamais la Révolution ne vivra de moments plus euphoriques !

La construction de la France

Les hommes de la Révolution rêvaient depuis leur jeunesse de transformer la France. Ils observaient la vieille Angleterre et la jeune Amérique. Ils voulaient y puiser ce qu'il y avait de meilleur en elles. La France d'autrefois, celle des rois absolus, était une machine couverte d'un manteau d'Arlequin. Il fallait à la France régénérée un habit neuf et régulier. La France est divisée en 83 départements, en districts et en communes. Les savants se mettent au travail pour donner des mesures nouvelles aux hommes nouveaux.

Les départements

Diviser la France en parties égales, tel fut l'un des buts des députés de l'Assemblée nationale constituante. Mais où trouver les limites des nouveaux départements ? Un député, Thouret, crut bon de diviser la France en carrés ! Cette idée saugrenue fut abandonnée et la géographie commanda la division de la France en 83 départements. Chaque département avait une ville principale ou chef-lieu. Que de querelles ! Dans le Var, Toulon et Draguignan se disputèrent ce privilège et dans le Maine-et-Loire, Saumur et Angers.

La naissance des départements

Les provinces françaises d'Ancien Régime* étaient très mal taillées et inégales. Les unes étaient très grandes et les autres étaient si petites qu'il suffisait de deux enjambées pour les parcourir. Pour les temps nouveaux, les députés rêvent d'une France au territoire découpé en parties égales. Que la France devienne un damier et que tous les carrés soient égaux entre eux, suggère un membre de l'Assemblée nationale. Ne retenons pas une idée aussi sotte, répondent d'autres députés, car les séparations nouvelles couperaient des villes ou des villages en deux. La géographie, l'histoire, les cou-

Chaque département eut une taille moyenne, à l'échelle du moyen de transport de l'époque : le cheval. Les députés, aidés par un géographe de génie, Dominique Cassini, réussirent à découper la France en départements assez bien équilibrés.

tumes forment des contraintes dont il faut tenir compte, disent les plus sages qui écoutent le géographe Dominique Cassini. Le 26 février 1790, l'Assemblée nationale divise la France en 83 départements, chacun ayant une ville principale appelée chef-lieu du département. Tous porteront le nom des fleuves, des montagnes ou des côtes pour rendre grâce à la nature. Les départements sont à l'échelle de l'homme et de son moyen de transport, le cheval. Aucun point du département n'est à plus d'une journée de cheval de la ville principale.

Les grandes divisions administratives

Tous les départements se divisent en circonscriptions plus petites, emboîtées les unes dans les autres. Un département contient des districts et les districts contiennent des communes. Les 40 000 communes forment comme 40 000 républiques au petit pied. Ces unités tissent un filet aux

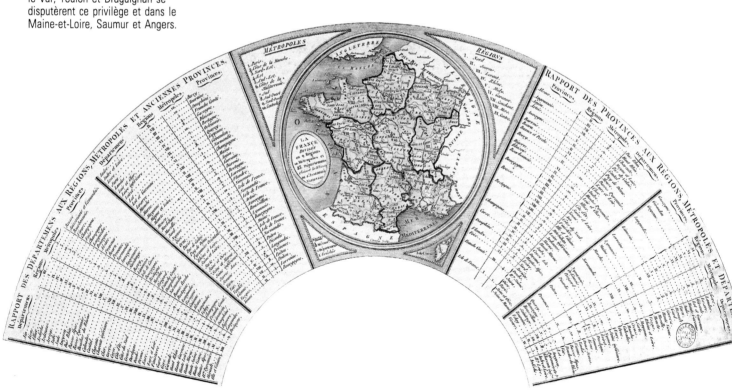

nouvelle

mailles serrées sur la France entière. Le maire et les officiers municipaux qui l'assistent forment un gouvernement local. Ils gèrent toutes les affaires de la vie municipale, répartissent les impôts et se chargent d'en surveiller la rentrée. Avec leurs écharpes tricolores, ils président aux cérémonies et reçoivent les marques d'honneur de leurs concitoyens. Les districts et les départements assurent le même travail que les communes mais à une échelle plus grande. Tous les hommes qui vont occuper les places d'administrateurs des nouvelles circonscriptions seront élus par le peuple. Aucun homme ne peut être désigné à un poste de responsable s'il n'est élu par ses concitoyens. La Révolution unifie la France et brise la centralisation. Dans les départements, le roi sera représenté par un procureur général qui veillera simplement au respect de la loi.

Les grandes villes et les sections*

Les grandes villes de plus de 25 000 habitants sont découpées en circonscriptions administratives, appelées sections. À l'origine, les sections sont des unités de vote, c'est-à-dire des ensembles qui regroupent les électeurs d'un quartier. Chaque section règle des problèmes administratifs et reçoit un commissaire de police et un juge. À mesure que la Révolution avancera, les 48 sections de Paris constitueront des comités qui formeront des gouvernements de quartier.

Hommes nouveaux et mesures nouvelles

Dans l'ancienne France, d'un village à l'autre, d'une ville à l'autre, les mesures de capacités changeaient. Il existait plus de 800 mesures sous l'Ancien Régime, comme si chacun voulait montrer la marque de sa puissance en montrant ses propres poids et mesures. Les seigneurs tenaient à leurs mesures féodales parce qu'ils avaient une façon bien à eux de mesurer. Il leur fallait toujours des mesures combles et des grains si bien criblés que le blé du seigneur valait toujours plus cher que le blé ordinaire. À vos compas et triangles, messieurs les savants, décide l'Assemblée, le 8 mai 1790 ! Il nous faut des mesures nouvelles qui serviront aux hommes de l'univers. Les savants se mettent à la tâche pour mesurer le méridien terrestre et le poids de l'eau. De leurs longues études sortiront le mètre, le kilo et le litre. Un jour la terre entière mesurera l'espace et pèsera les choses avec les unités de mesures créées par la Révolution.

DÉPARTEMENT DE PARIS.

BRULEMENT

Des Titres & Travaux généalogiques du Cabinet des Ordres, en exécution du Décret du 12 Mai 1792, sanctionné le 16 du même mois.

LE PUBLIC est averti que Mardi prochain 19 Juin, dans la place Vendôme, heure de deux heures, il sera brûlé environ six cents Volumes, provenants de la partie des Papiers & Titres généalogiques du Cabinet des Ordres, qui a pu être examinée jusqu'à ce jour; savoir, de la recherche de la Noblesse, dans les ci-devant Généralités & Provinces d'Auvergne, Bourges, Bourgogne, Bretagne, Caen, Champagne, Dauphiné, Guyenne, Languedoc, Limousin, Lyonnois, Normandie, Orléannois, Paris, Picardie, Poitou, Provence & Touraine, en 1463, 1666 & années suivantes, 292 Volumes; & des Mémoires & preuves de Noblesse. 300 Volumes.

De l'Imprimerie de BALLARD, Imprimeur du Département de Paris, rue des Mathurins, 1792.

Brûlement des titres de la noblesse

Le 19 juin 1790, la noblesse fut abolie. Il n'y aurait plus de « Monsieur le Comte », de « Madame la Duchesse ». Tous les signes de la noblesse, les armoiries, furent martelés sauvagement. Plus de droit d'aînesse, plus d'inégalités dans les successions ! La noblesse vécut avec un profond déplaisir la suppression de titres millénaires. Mais dans ce temps d'égalité, il ne pouvait y avoir que des hommes. Ce titre valait bien tous les titres de noblesse.

Les réformes politiques

La *Déclaration des droits de l'homme et du citoyen* a posé clairement les principes des droits nouveaux. Maintenant, il faut mettre en application les principes énoncés. Un travail colossal de réformes va être accompli en quelques mois par l'Assemblée nationale constituante. Chaque réforme porte la marque des temps nouveaux et façonne la France nouvelle.

Un curé déchu

Beaucoup de curés refusèrent la nomination du nouvel évêque. En effet, les curés étaient des fonctionnaires de la monarchie et ils devaient être élus comme tous les autres fonctionnaires. Beaucoup de curés, qui avaient été ordonnés par les anciens évêques, ne voulaient pas renier le serment qu'ils avaient déjà prêté à leur ancien évêque. Pierre Desquesne, comme des milliers de prêtres de villes et villages, fut déclaré réfractaire et fut privé de son traitement.

La souveraineté nationale

Tout pouvoir prend sa source dans la nation et nul ne peut accéder à une fonction sans être élu. On ne verra plus de jouvenceau* nommé évêque, d'homme ignorant devenir juge, d'intendant désigné par le roi. Le maire, le juge, le prêtre seront élus. Mais la nation tout entière ne peut gouverner, car on ne peut réunir une assemblée de 27 millions de personnes. La nation doit déléguer ses pouvoirs par le système électoral. La première en Europe, la France va faire l'expérience du système électif. Dans chaque ville, dans chaque bourg, les élections vont enraciner la Révolution dans la vie des citoyens. Ils éliront ceux qui ont leur confiance. La vie politique fait désormais partie de la vie des Français.

Les citoyens

Les citoyens naissent et demeurent libres et égaux en droits, dit la *Déclaration des droits de l'homme et du citoyen*. Mais les révolutionnaires vont distinguer les droits civils et les droits politiques. Pour payer les impôts, acheter, vendre, circuler, les Français ont les mêmes lois. Mais pour exercer le pouvoir politique ou désigner les représentants de la nation, il faut une certaine condition sociale. Les Constituants se méfient des valets et des domestiques. Ils n'aiment pas les vagabonds et les gens sans aveu. Les femmes et les jeunes ne sont pas pris en considération. Tous ces Français sont privés de droits politiques. Les hommes très pauvres, les errants et

ceux qui n'ont pas 25 ans sont des citoyens passifs*, ce qui signifie qu'ils sont exclus des élections. Seuls 4,3 millions sur 6,2 millions d'hommes adultes ont le titre de citoyens actifs*. 70 % des Français de plus de 25 ans ont le droit de vote. Les citoyens actifs désignent des électeurs qui éliront à leur tour les futurs députés. Pour être député, il faut payer beaucoup d'impôts et avoir de belles propriétés. Environ 80 000 riches peuvent espérer diriger le pays. Ils sont les seuls à avoir la plénitude des pouvoirs politiques. Jean-Jacques Rousseau n'aurait pas été assez riche pour être élu député, disent les adversaires de ces nouvelles lois. L'argent et la richesse sont accessibles à tous, répondent leurs partisans. Ils affirment que seuls les propriétaires connaissent vraiment l'intérêt d'un pays. Aux hommes pauvres de s'enrichir et ils dirigeront le pays. Souvenez-vous du temps de la monarchie absolue ! Dès la naissance, la place et le rang des hommes dans la société étaient inscrits pour la vie entière. Désormais votre destin vous appartient.

Les réformes économiques

Pour que les hommes soient égaux, il faut aussi que leurs enfants le soient. Désormais l'héritage ne reviendra plus au fils aîné. Tous les enfants auront des parts égales au moment de la succession. Les bourgeois imposent pour toutes les terres leurs règles de partage. Les fiefs ou terres de la noblesse seront partagés comme les terres des roturiers. Les bourgeois veulent libérer la terre comme ils ont libéré les hommes. Qu'importe la liberté pour les être humains, si les objets et les choses ne sont pas libres ! Les Constituants permettent de clôturer* les propriétés, de vendre librement le blé, d'acheter ici tel produit et de le vendre là. Vive l'économie libre ! Les terres communales qui appartenaient à tous et qui permettaient aux plus pauvres de nourrir une ou deux têtes de bétail, seront mises en vente. Malheur aux gens sans ressources ; ces libertés brisent les coutumes qui les protégeaient. Les prix du pain, du coton, du café et du sucre obéiront à la loi de l'offre et de la demande. Les pauvres voient avec inquiétude ces réformes économiques

JUGEMENT
DU TRIBUNAL
DU DISTRICT DE BEAUVAIS,

Portant que P I E R R E D E S Q U E S N E, Curé de la ville de Gerberoy, fera privé de fon traitement comme Curé, & le déclare déchu pendant un an des droits de citoyen actif & incapable d'aucunes fonctions publiques.

Du 17 Août 1791.

et sociales

qui les menacent. La Révolution comme l'Ancien Régime aura à résoudre le prix du pain.

La suppression des corporations

Autrefois le tisserand ne pouvait ajouter un fil de trop ou une couleur fantaisie aux draps qu'il fabriquait. Les gens du métier imposaient des règles à tous les fabricants. Malheur à ceux qui faisaient des mouchoirs qui ne recevaient pas la mention « Bon teint » et le cachet de l'administration. Tous les producteurs, de tous les métiers, suivaient des réglements établis par les corporations. Désormais, il n'y aura plus de corporations. Chaque fabricant aura la liberté de produire comme il veut et ce qu'il veut. L'État n'aura à faire qu'à des particuliers. Si par malheur, les ouvriers et les compagnons s'avisent de se coaliser pour imposer les prix de la main-d'œuvre, on leur appliquera la loi martiale*. Tous les artisans, ouvriers, compagnons qui feront grève ou écriront des pétitions pour raison de travail, seront sous la menace militaire de la force armée. Ils devront seulement passer des contrats d'individu à individu et tant pis si le salaire est trop faible.

J. J. Rousseau.

Et la vue du Pavillon qu'il habitoit à Ermenonville.

Les assignats

Dans le royaume de France, il n'y avait pas de grande banque centrale. Une seule banque avait quelque importance : la Caisse d'Escompte de Paris. Quand la Révolution éclata, les finances de l'État étaient fort mal en point. Pour réduire le déficit de l'État et éviter la banqueroute, les Révolutionnaires prirent les biens du clergé. Ces biens, appelés biens nationaux, seraient mis en vente progressivement. En attendant cette rentrée d'argent, la Caisse

Jean-Jacques Rousseau (1712-1778)

Rousseau, citoyen de Genève, riche de talents et dénué de richesse, fut l'un des pères spirituels de la Révolution française. C'est lui qui avait mis dans la tête des révolutionnaires cette idée qui fit trembler le monde : « la volonté générale, c'est le Droit. » Bien des députés étaient nourris de la pensée de Rousseau et ils faisaient un pèlerinage sur les lieux de sa vie comme s'il s'agissait de l'apôtre des temps nouveaux. Mais la loi du marc d'argent (qui obligeait les députés à payer un impôt d'au moins un marc d'argent) aurait empêché le pauvre Rousseau d'être député, car il ne payait pas l'équivalent de cinquante livres d'impôt.

d'Escompte prêta de l'argent à l'État. Le gouvernement décida d'émettre des billets appelés « assignats » pour rembourser la Caisse d'Escompte de ses avances et faire face aux dépenses les plus urgentes. Les assignats étaient gagés sur les biens de l'Église qui représentaient près de 3 milliards de livres. Avec les assignats, on pouvait payer les achats de biens nationaux. Au fur et à mesure que les terres du clergé seraient vendues, le gouvernement avait prévu de détruire les assignats. Cette mesure, bonne dans son principe, se transforma en une catastrophe économique pour deux raisons. Premièrement, le gouvernement ne détruisit presque pas les assignats qui rentraient dans la caisse de l'État. Deuxièmement, les assignats n'étaient que des bouts de papier, faciles à fabriquer et on pouvait en fabriquer autant qu'on en voulait. Les gouvernements successifs mirent en circulation des masses de plus en plus grandes d'assignats, si bien que cette monnaie apparut progressivement comme un vil morceau de papier. Les paysans et les ouvriers refusaient d'être payés en assignats et préféraient les bonnes vieilles pièces d'or et d'argent. Peu à peu, la France eut une monnaie qu'on acceptait mal à l'intérieur du pays et qu'on refusait à l'étranger.

La vie politique

Quand s'ouvrirent les États généraux, la liberté de la presse n'existait pas. Les Français vont conquérir toutes les libertés fondamentales : liberté de la presse, liberté de réunion. Le club des Jacobins et autres clubs regroupent les députés et les citoyens. Ils sont les ancêtres des partis politiques. Dans les villes et les campagnes, les gens dressent des arbres de la liberté pour manifester leur délivrance.

Un arbre de la liberté

Longtemps les paysans plantèrent des arbres, ou « mais », pour honorer une personne ou marquer un événement. Cette tradition fut adaptée et l'arbre de la liberté devint l'un des symboles de la Révolution.

Séance aux Jacobins

Ce jour-là, le 11 janvier 1792, on se moque du ministre de la guerre, Narbonne, surnommé Linotte, car il vient de dresser un tableau merveilleux de la situation militaire française. Robespierre mit en garde les membres du club contre la folie de la guerre.

La liberté de la presse

En mai 1789, les députés enragent d'écrire librement leurs pensées. Ils envoient des « Lettres » dans leurs provinces. Mais ils bravent le pouvoir royal en les rendant publiques. Ces correspondances privées donnent naissance aux premiers journaux de l'ère de la liberté. L'article XI de la *Déclaration des droits de l'homme et du citoyen* établit définitivement la libre communication des pensées et des opinions. Sur de petites feuilles de papier, chacun peut livrer ses réflexions et informer tous les citoyens. Le peuple peut réagir immédiatement à une information. Chaque jour et en tous lieux, les Français sont tenus au courant des événements parisiens. L'opinion publique devient une force. Dès les premiers mois de la Révolution, des dizaines de journaux apparaissent. La liberté est si grande qu'en 1790, une multitude de plus de 300 journaux anime les débats dans les clubs, les cafés et les tavernes. Des journalistes à la plume vive et étincelante écrivent des articles éclatants d'audace. Lecteurs et abonnés se grisent de cette liberté neuve et chacun lit le journal qui correspond à ses opinions.

Le club des Jacobins

La liberté de réunion, comme la liberté de la presse, est un droit nouveau à conquérir. Au début de la Révolution, les députés ne se connaissent pas et ils n'ont aucune expérience du travail d'assemblée. Ils se regroupent par origine géographique, entre gens d'une même province. Les députés du Tiers État de Bretagne, la tête échauffée par leur combat contre la noblesse bretonne, prennent l'habitude de se réunir. Ils louent une salle au café Amaury à Versailles et fondent le « club breton ». Toutes les grandes décisions du mois d'août 1789 sont préparées dans ce club qui accueille alors les députés de toutes les régions. Quand, au mois d'octobre 1789, l'Assemblée nationale constituante quitte Versailles pour Paris, les députés de ce club cherchent une salle pour continuer leurs réunions. Ils découvrent que la bibliothèque du couvent des Jacobins pourrait très bien convenir à leurs séances de travail. Désormais le club breton s'appellera « club des Jacobins ». Le couvent est tout près de la salle du Manège* où se réunissent les députés de l'Assemblée nationale. En cinq minutes, les députés du club des Jacobins peuvent passer d'une salle à l'autre. Le club des Jacobins prend vite de l'ampleur. À Paris, la société compte plus de 1 000 membres sans parler des membres inscrits dans les villes de province. Le club des Jacobins étend sur toute la France un réseau qui échange avec Paris toutes les informations politiques. À 6 heures du soir, commencent les séances du club. Pour y être admis, il faut être citoyen actif, avoir une carte et payer une forte cotisation. Les Jacobins préparent dans leurs réunions les séances de l'Assemblée nationale. Ils se mettent d'accord sur les décisions à prendre. Tous lisent le *Journal des débats* et le *Journal de correspondance*.

Autres clubs et sociétés fraternelles

Les membres du club des Jacobins finissent par avoir des opinions bien différentes sur la marche à donner à la Révolution. Au mois de juillet 1791, un grand nombre de députés quittent le club des Jacobins et fondent le club des Feuillants. Ces députés veulent arrêter la marche en avant de la Révolution et donner au roi Louix XVI un grand pouvoir. Un autre club de

Paris, le club des Cordeliers, admet tous les citoyens sans distinguer entre citoyens actifs et citoyens passifs. Par milliers, les Français s'enrôlent aussi dans des sociétés fraternelles qui luttent contre les abus et pour les droits de l'homme.

La gauche et la droite

Dans les réunions de l'Assemblée nationale, les députés n'ont aucune expérience des débats. La vie politique est comme un enfant sans mère. Elle doit tout apprendre et se donner elle-même ses propres règles. À Paris, les députés se sont installés dans une salle réservée aux exercices d'équitation, la salle du Manège. Les députés qui ont des idées proches s'assoient les uns à côté des autres. Ils se donnent toujours rendez-vous du même côté. Ceux qui sont assis à droite de l'orateur qui parle à la tribune, sont ceux qui veulent que le roi ait un grand pouvoir. Ils sont partisans d'un droit de veto* pour le roi, c'est-à-dire qu'ils veulent que le roi puisse empêcher une loi de

passer. Ceux qui se placent à gauche veulent limiter le pouvoir du roi et que l'Assemblée soit plus forte que le roi. Ils sont contre le droit de veto. Pour voter, les députés adoptent le système de vote par assis et levé. Le président de la séance demande : « Que ceux qui sont pour cette loi se lèvent ! » On compte alors les voix. Mais on peut aussi faire voter les députés en les appelant un par un pour émettre leur voix. Tous les débats se déroulent sous les yeux d'une foule compacte et électrisée. Dans le bruit d'enfer qui règne, il faut avoir une voix puissante pour se faire entendre. Quand la foule ne veut pas entendre quelqu'un, elle alterne les tonnerres d'applaudissements et les silences pesants. Les parleurs ennuyeux ou les amis des aristocrates ont du mal à rester à la tribune. Le président a beau agiter sa clochette pour réclamer le silence, rien n'y fait. Seuls les orateurs de première force parviennent à soumettre la foule au charme de leurs paroles et de leur voix.

Les arbres de la liberté

Dans chaque quartier, dans chaque bourg, les Français reprennent les discussions de Paris. Les amis du roi promettent qu'un beau jour, le bourreau pendra les Jacobins au bout d'une corde pour qu'ils plantent le drapeau bleu-blanc-rouge dans l'empire du diable. Les amis de la Révolution promettent aux aristocrates qu'ils finiront à la lanterne* ou au bout d'une pique. Dans les campagnes, les paysans souffrent de la disette, de la désorganisation du commerce. Ils attendent avec impatience que les droits féodaux soient définitivement abolis. Alors, ils plantent des arbres de la liberté près de l'église pour signaler leur désobéissance. Sur un arbre bien haut et bien droit, ils attachent et clouent les marques de leur servitude. Ils accrochent à la girouette du château, les cribles* des mesures seigneuriales, les plumes et les encriers qui servaient à inscrire sur des papiers leurs dettes et impôts. L'arbre de la liberté devient le symbole des hommes libres.

L'Église et la Révolution

Les curés du Poitou qui avaient, les premiers, rejoint les députés du Tiers État en juin 1789, espéraient que la Révolution leur procurerait une meilleure place dans le gouvernement de l'Église. Les nécessités financières poussent l'Assemblée nationale constituante à confisquer les biens du clergé. Les prêtres deviennent des fonctionnaires qui doivent prêter serment à la loi et à la nation. Beaucoup refusent ces bouleversements et l'Église catholique de France se déchire.

Prêtre patriote

Les prêtres qui acceptent le serment de fidélité reçoivent des noms divers : prêtres constitutionnels, jureurs, intrus, assermentés.

Prêtre aristocrate fuyant le serment

Le 27 novembre 1790, les députés de l'Assemblée nationale exigent de tout le clergé un serment de fidélité à la Constitution. La majorité des prêtres de l'Église catholique acceptent le serment ; beaucoup le refusent. Les prêtres qui refusent le serment de fidélité sont appelés prêtres inconstitutionnels, réfractaires, insermentés.

Déclaration des biens du clergé

Toutes les églises de France, toutes les institutions du clergé de France déclarèrent l'état de leurs biens. Ainsi fut dressé le plus vaste inventaire des biens de l'Église catholique. Tout fut inscrit : les champs, les prairies, les granges, les meubles, les livres... Les déclarations furent dans l'ensemble très exactes.

L'espérance des curés

La Révolution emporte tout dans un tourbillon et l'Église n'échappe pas au vent des réformes. À l'Assemblée nationale, les nombreux prêtres et les évêques débattent avec fougue. Sans le ralliement des curés aux députés du Tiers État, rien n'aurait été possible. Les curés croient en un avenir radieux et certains espèrent que le plus grand pays catholique du monde leur donnera le gouvernement de l'Église. Les curés veulent reprendre aux seigneurs laïques et à tous les membres du haut clergé, les droits et avantages dont ils ont été privés. Ils imaginent que les bons prêtres aux cheveux blancs et au bâton noueux conduiront le peuple des fidèles vers un monde plus juste. La France, « Fille aînée de l'Église* », ne saurait être ingrate pour son bas clergé.

Le clergé victime des nécessités financières

Quelle désillusion ! La nuit du 4 août 1789, le clergé perd les dîmes*, sa plus grande source de revenus. Mais il garde encore ses terres et ses splendides propriétés. En ces temps de bouleversement, le mal des finances ronge encore plus fort la France. Les impôts ne rentrent pas et la faillite de l'État approche. Les propriétaires, avides d'accroître leurs biens, veulent mettre à profit les circonstances pour s'emparer de richesses inaccessibles. Depuis des siècles, l'Église accumule des biens qu'elle s'interdit de vendre. L'espoir de combler le déficit des finances, ajouté aux appétits des acheteurs de terre, conduit l'Assemblée à prendre une formidable décision : s'emparer des biens du clergé. Le 2 novembre 1789, les biens du clergé sont mis à la disposition de la nation. Alors commence la plus grande vente de terres qui eut jamais lieu en France. Les biens du clergé, appelés biens nationaux*, sont vendus à « la chandelle éteinte ». On allume trois petits bouts de bougie et quand le troisième s'éteint, les enchères s'arrêtent. La foule des acheteurs se presse autour des chandelles et c'est à qui proposera le plus haut prix. Aucun bourgeois, aucun noble, aucun prince ne veut manquer cette aubaine : acquérir des terres avec un crédit de douze ans. Les membres du clergé se lamentent de perdre les terres qui faisaient d'eux des

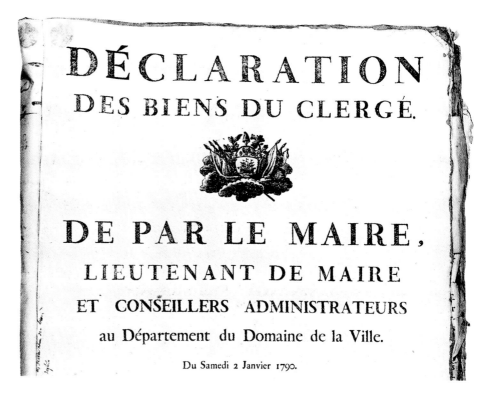

DÉCLARATION DES BIENS DU CLERGÉ.

DE PAR LE MAIRE, LIEUTENANT DE MAIRE ET CONSEILLERS ADMINISTRATEURS au Département du Domaine de la Ville.

Du Samedi 2 Janvier 1790.

gens considérés. Nous voilà bien récompensés d'avoir poussé la roue de la Révolution, disent certains prêtres. Nous allons devenir des salariés, des fonctionnaires et quand l'État sera ruiné, nous sombrerons avec lui. Plus de dîmes*, plus de propriétés! Nous sommes revenus à la pauvreté de l'Église antique.

La Constitution civile du clergé

Les députés votent le 12 juillet 1790 la Constitution civile du clergé* et décident que le clergé de France formera un corps de fonctionnaires au service de l'État. Comme les juges, les officiers, les députés, les membres du clergé seront élus par l'assemblée des électeurs. Il y aura un évêque par département et un curé par commune. Quel bouleversement! Des milliers d'ecclésiastiques seront mis à la retraite d'office, des dizaines d'évêchés et des centaines de paroisses seront supprimés. Un beau dimanche, les paroissiens auront un bien long chemin à faire pour se rendre à la grand-messe.

Perte d'influence du clergé

Les prêtres, devenus salariés, ont des revenus bien plus faibles qu'autrefois. Certains curés pauvres se réjouissent des réformes, mais dans les bocages de l'Ouest de la France, les curés se désolent de la perte de milliers de livres. Quelle tristesse de ne plus avoir à recueillir les dîmes de blé au temps des moissons! Quelle peine de ne plus recevoir des grains bien criblés, des barriques de vin, des mottes de beurre! À présent, le curé n'est plus seul à parler haut et fort dans la paroisse. Maintenant, il y a Monsieur le Maire et le conseil municipal qui vont s'occuper de tout. Ils se mêleront de la nomination du maître d'école, de celle de la sage-femme, des ornements d'église. Les prêtres régentaient la vie des familles, désignaient les enfants de chœur et les sonneurs de cloche. Ils ressentent les réformes de la Révolution comme des blessures d'amour-propre. À la fête du village, le curé cède le pas aux Messieurs du conseil municipal et marche derrière le drapeau tricolore. Les chants de la Révolution et les drapeaux tricolores partagent les honneurs avec les chants religieux et la bannière des saints.

PRÊTRE PATRIOTE
prêtant de bonne foi le serment Civique.

PRÊTRE ARISTOCRATE
fuyant le serment Civique.

Prêtres jureurs et prêtres réfractaires

Le 27 novembre 1790, l'Assemblée nationale constituante exige de tous les prêtres un serment de fidélité à la nation et à la loi. Tous les serviteurs de l'État doivent ce serment et les ecclésiastiques ne peuvent échapper à la loi commune. Nous ne prêtons de serment que devant Dieu, disent certains prêtres et nous ne jurerons aucune fidélité sans l'autorisation de nos évêques et du pape. Or le 11 mars 1791, le pape condamne toute les réformes faites en France. L'Église de France éclate en deux groupes : le clergé constitutionnel* et le clergé réfractaire*. Le peuple des fidèles se divise à son tour en deux camps haineux. Le dimanche 24 avril 1791, jour de Pâques, se déroulent les premières élections des curés. Toute la foule est assemblée pour l'élection du prêtre. Ceux qui refusent la Constitution du clergé et qui n'ont pas prêté serment ne sont pas admis à se présenter aux élections. Les électeurs désignent alors un nouveau curé de paroisse. Les anciens curés acceptent très mal d'être remplacés par un prêtre inconnu, un intrus venu de la ville ou du département voisin. Dans les chapelles et les maisons, le curé réfractaire qui n'accepte pas les réformes, dit aux fidèles qui ont sa confiance : « Ce prêtre venu de la ville ne sait même pas parler patois ! C'est un monsieur de la ville. Fuyez les nouveaux prêtres, ces judas, ces animaux, ces traîtres ! Ils sont les enfants de la nation du diable, de la diabolique nation. Il vaut mieux se confesser à un arbre que se confesser à eux. » Les fidèles se perdent dans des querelles qui les dépassent et la France semble revivre le temps des guerres de religion.

novembre 1789
avril 1791

La fuite du roi et son

Louis XVI se sent à Paris comme un prisonnier en liberté provisoire. Apparemment, il accepte de bonne grâce les réformes de la Révolution, mais il prépare en secret sa fuite. Le 21 juin 1791, il prend la route des terres allemandes. Mais la négligence des hussards et la méfiance des paysans en alarme font échouer le projet. Le 25 juin, Louis XVI rentre à Paris. On dirait que la nation s'est emparée d'un voleur en fuite.

Un roi prisonnier dans son royaume

Louis XVI déteste Paris et son peuple qui l'accable de sa surveillance. Il ne se plaît guère au Château des Tuileries que ses ancêtres abandonnèrent, il y a plus de cent ans. Il voudrait pouvoir encore chasser les bêtes sauvages dans les forêts d'Ile-de-France. Mais on ne lui permet plus de courir les bois. Ce cavalier passionné ne monte même plus à cheval parce que les députés occupent la salle du Manège. Le 18 avril 1791, le roi et sa famille désirent aller au château de Saint-Cloud pour y passer les fêtes de Pâques. Ils voudraient profiter des beaux jours du printemps pour voir les tapis d'herbe fleurie et admirer les grandes eaux des cascades. Le général La Fayette accorde au roi d'aller faire ses Pâques

à Saint-Cloud. Mais les soldats de la garde nationale craignent qu'il ne profite de l'occasion pour fuir. Un frère du roi, des ministres, des courtisans et tant d'autres nobles ont déjà fui à l'étranger où ils attisent la haine contre la Révolution. Louis est le chef naturel de la noblesse, dès qu'il sera loin de nos yeux, il courra rejoindre les émigrés*, pensent les gardes nationaux. Une troupe en armes encercle le carrosse du roi, et au bout de deux heures d'injures, reconduit le cortège royal au château des Tuileries. En rentrant dans sa prison dorée, Louis sait qu'il n'est plus libre de circuler.

La préparation de la fuite

Apparemment le roi se livre de bonne grâce à la marche des choses nouvelles. Il accepte sa vie de souverain

constitutionnel*, mais il agit à l'ombre de son château avec une minutie de prisonnier. Il aménage des passages dérobés dans les meubles, va d'un point à l'autre en évitant les couloirs et dissimule derrière les lambris une armoire de fer où il enferme sa correspondance secrète. Tous les jours, des mains complices acheminent vers Vienne, Stockholm, Turin, les lettres et messages du roi et de la reine. Depuis le mois d'octobre 1790, Louis XVI, le roi géographe, prépare sa fuite. Mais le projet est chaque jour remis parce qu'au dernier moment des difficultés imprévues surgissent. Au mois de juin 1791, la France vit dans la fièvre des élections de la nouvelle Assemblée législative*. Il faut profiter de cette agitation pour partir. Le roi choisit le jour le plus long, le premier jour de l'été pour s'enfuir.

Mardi 20 juin 1791 : un royaume sans roi

Le mardi 20 juin 1791 à 7 heures du matin, le valet de chambre qui avait à son bras le cordon qui le reliait à Louis XVI, écarte les rideaux et voit que le lit du roi est vide. Depuis les premières heures de la nuit, une voiture achetée d'occasion par les complices du roi et tirée par six chevaux roule vers la Lorraine, emportant avec elle le roi et sa famille. Louis XVI court rejoindre l'armée du marquis de Bouillé, gouverneur militaire fidèle à la monarchie. Louis XVI a laissé une déclaration où il se plaint amèrement

L'arrestation

C'est sous la voûte de Varennes que Drouet et le patron de la taverne le **Bras d'or** arrêtèrent le roi. L'évasion manquée fut une faute capitale. Louis XVI aurait déclaré lors de son arrestation à Varennes : « Il n'y a plus de roi en France. » Quelques mois plus tard, le 10 août 1792, il n'y aurait en effet plus de monarchie.

Exécution populaire à Strasbourg

Ces mannequins qui vont être brûlés à Strasbourg, le 25 juin 1791, sont les effigies des généraux français qui avaient organisé la fuite du roi. Ces trois officiers quitteront la France après l'échec de l'évasion.

d'avoir été privé de tous ses pouvoirs par l'Assemblée constituante. Quatre-vingt-trois courriers* partent à bride abattue apporter à la France la funeste nouvelle : Louis XVI s'est enfui ! Tous les villages se mettent en armes. Les manifestants glacés de douleur brisent les fleurs de lys et les statues du roi. Voilà donc notre bon roi qui nous abandonne ! Quel père indigne ! Prenons garde, il reviendra à la tête des armées étrangères et son chemin sera un chemin de sang et de carnage. La nation apeurée n'en finit pas de se lamenter.

Mercredi 21 juin 1791 : arrestation du roi à Varennes

« Le cul sur la selle, je serai tout autre », déclare le roi Louis XVI à son entourage. Louis XVI en habit de valet, tel un personnage de comédie, découvre la France révolutionnaire par les fenêtres du carrosse. Il bavarde avec des passants et n'hésite pas à descendre pour se soulager. C'est à peine s'il se dissimule. Le roi géographe connaît par cœur les relais des chevaux et fait part de ses observations à son fils comme un maître à ses élèves. Une roue se brise et les retards s'accumulent. Les hussards du marquis de Bouillé qui doivent servir d'escorte à la famille royale à partir de Sainte-Menehould ont éveillé la méfiance et la haine des paysans. Les soldats du roi sont en avance au rendez-vous qui est fixé le mercredi 21 juin 1791 à 3 heures

de l'après-midi. Ne voyant rien venir, ils se dispersent. Pendant ce temps, le fils du maître de Postes, Jean-Baptiste Drouet, a reconnu le roi à l'arrêt de Sainte-Menehould. Drouet n'hésite pas. Par les chemins de traverse et des raccourcis, il fonce à bride abattue vers Varennes. C'est là que la berline du roi doit changer de chevaux. La municipalité de Varennes prend des dispositions, fait barrer le pont et couper la route. La famille royale reçoit l'ordre de descendre de la voiture et de montrer les passeports. Les passeports sont faux, la reine a pris le nom de baronne de Korf. La famille est priée de descendre dans la maison d'un marchand épicier. Les curieux et les paysans qui parlent patois s'attroupent avec calme autour de ce roi fuyard. Est-ce bien là le roi et la reine de France ? Après un repas plantureux, la famille royale s'endort dans la demeure d'un bourgeois de France. Elle sait que son voyage est fini. Plus aucun hussard ne pourra lui prêter main forte. Le peuple est en alarme et pour délivrer le roi, il faudrait verser un bain de sang. Le lendemain à 7 heures du matin, la berline fait demi-tour et repart pour Paris. Le 25 juin 1791, sous une chaleur torride, le roi est de retour à Paris. Les soldats, chapeau en tête et crosse en l'air, ne rendent aucun hommage au roi fuyard qu'on a repris comme un voleur. Le silence de la foule est aussi accablant que le soleil. Vers quel abîme conduit l'avenir ?

La rupture

À Varennes, le roi avait déclaré à son entourage : « Il n'y a plus de roi en France. » Sa fuite avait lamentablement échoué et le peuple de Paris l'avait accueilli avec un silence de deuil. La Constitution est achevée en septembre 1791 et une nouvelle assemblée, l'Assemblée législative, se réunit le 1er octobre 1791. Les graves difficultés qui s'accumulent font croire à certains que la guerre avec les pays étrangers résoudrait les problèmes de la nation.

La fusillade du Champ-de-Mars

La fuite du roi apparaît aux yeux des Cordeliers comme une trahison. Ils demandent la disparition de la monarchie, « rouage inutile ». Au mois de juillet 1791, les tailleurs de pierre, des ouvriers en maçonnerie, sont mécontents de leur salaire. Le 17 juillet 1791, les mécontents se donnent rendez-vous au Champ-de-Mars pour signer une pétition. Ils veulent le remplacement du roi Louis XVI, « monstre », « brigand couronné ». Alors, sans avertir les manifestants, la garde nationale, dont le commandant en chef était le général La Fayette, ouvre le feu. Plus de 60 personnes furent tuées par l'armée du peuple. Le peuple tuait le peuple.

Le 17 juillet 1791 : massacre au Champ-de-Mars

Le retour du roi divise les Français. C'est un traître, pensent les Cordeliers ! Quel imbécile ! affirment les autres. Il n'est même pas capable de fuir comme ses frères. Mais que faire de ce roi trompeur ? Si le roi est destitué, la France deviendra une République. La République, c'est le règne de l'anarchie aux yeux de La Fayette et des ministres du roi. A Paris, sur le Champ-de-Mars, des citoyens du club des Cordeliers crient : « le roi est un monstre qui veut déclencher la guerre civile ». Le 14 juillet 1791 et les jours suivants, 3 000 à 4 000 manifestants brisent les statues du roi. Que le roi disparaisse, qu'on le prive de son pouvoir ! Les ministres craignent le peuple rebelle et pour calmer les esprits, ils inventent une fable : le roi a été victime d'un enlèvement par de méchantes gens. Les citoyens des faubourgs savent qu'on se moque d'eux. Le 17 juillet 1791, trois à quatre cents manifestants apportent des pétitions pour retirer au roi tous ses pouvoirs. La garde nationale hisse le drapeau rouge de la loi martiale et, sans prévenir, ouvre le feu sur la foule réunie sur le Champ-de-Mars. Un an auparavant, le 14 juillet 1790, les Français proclamaient en ce lieu qu'ils étaient un peuple de frères. Maintenant, les Français s'entre-tuent. Il y a

du sang et des cadavres dans les rues. Le gouvernement ferme les journaux et le club des Cordeliers. La foule des faubourgs de Paris accuse le général La Fayette, le commandant de la garde nationale, d'être responsable de ce massacre. Malheur à ce blondin, à ce Gilles* César ! La belle unité des Français se brise.

L'achèvement de la Constitution

Depuis le mois de juin 1789, l'Assemblée nationale constituante fait des lois nouvelles pour la France. Au mois de septembre 1791, elle arrive au bout de ses travaux. Elle s'apprête à céder la place à la nouvelle assemblée qui s'appellera « Assemblée législative ». La journée du 17 juillet 1791 a convaincu les partisans du roi qu'il fallait renforcer son pouvoir. Le roi prend du galon. Au lieu d'être le premier fonctionnaire, il devient le représentant héréditaire de la nation. Il ne peut être jugé responsable de la conduite des affaires et a un droit de veto*. Mais le roi ne redevient pas le souverain absolu qu'il fut avant 1789. Le 14 septembre 1791, le roi se rend en personne à l'Assemblée pour prêter serment à la Constitution achevée. Il a la douleur de voir qu'on annonce son arrivée en disant « le roi ! » et non pas comme autrefois « Sa Majesté ! » On ne lui présente plus un trône, mais un simple fauteuil. Enfin,

Danton (1759-1794)

Danton fut, dès son enfance, une force de la nature. Il fut placé en nourrice dans une ferme et il grandit au milieu des servantes et des valets de ferme. Enfant, il adorait passionnément le jeu de cartes. Comme beaucoup de révolutionnaires, il fréquenta un collège d'oratoriens. Il fit de courtes études à Reims où il obtint en six mois le diplôme d'avocat. Il acheta la charge d'avocat au conseil du roi et la dot de sa femme, la fille du patron du café de l'École au Pont-Neuf, l'aida beaucoup. Danton est aux yeux de certains historiens une « idole pourrie », car il gagna de l'argent grâce à la politique. Mais Danton est un de ceux qui ont le plus servi la Révolution. Danton était un orateur de génie, avec sa voix forte et sa silhouette d'Hercule. Contrairement à Robespierre, il n'écrivait aucun de ses discours.

Le club des Cordeliers

Club politique plus populaire que le club des Jacobins, tous les citoyens, même les citoyens passifs, pouvaient en être membres. Ces derniers étaient recrutés surtout dans la section parisienne du Théâtre-Français. Des hommes tels Danton, Desmoulins, Momoro en sont les membres les plus actifs. L'en-tête des lettres et des affiches du club portait l'œil de la surveillance.

quand il se met à parler, les députés s'assoient et gardent leurs chapeaux. La puissance absolue des rois de France s'effondre pour toujours.

L'Assemblée nationale législative

Le 1er octobre 1791, les nouveaux députés arrivent pour l'ouverture de

l'Assemblée législative. Comme tous les Parisiens, ils voient sur les murs des affiches qui disent : « La Révolution est terminée. » Les nouveaux députés ont fait une campagne électorale où l'on n'a épargné ni la bière ni le jambon. Ces nouveaux députés avec leurs galoches et leurs parapluies découvrent Paris. Il y a parmi eux des avocats, des médecins, des militaires, des hommes d'affaires. Ils sont jeunes et ont fait leurs premières expériences dans les administrations des provinces. Ils croient à la sincérité du roi, craignent la multitude des villes et des campagnes. Ils veulent protéger les propriétés. Mais ils aiment la Révolution avec passion. Ils écoutent docilement les discours des ministres du roi et tous espèrent en la prospérité de la France.

Le double jeu du roi et de la reine

Louis XVI et sa femme, la reine Marie-Antoinette, comprennent que pour se rendre populaire, il faut se montrer au peuple de Paris. Mais la famille royale ne se rallie qu'en apparence au jeu des lois nouvelles. La reine écrit à sa famille autrichienne que la Constitution de la France est « un tissu d'absurdités », « un ouvrage monstrueux ». La sœur du roi, Madame Elizabeth, ne veut faire aucune conces-

sion. La famille royale se déchire, parce que ses membres ne sont pas d'accord sur l'attitude à prendre. Leur vie est un enfer. Le roi fait semblant d'écouter ses ministres, mais avec l'argent qu'il reçoit de l'État, il achète des complicités. Il écoute les conseils des amis de la cour, mais au moment où l'on croit qu'il a pris une décision, il change d'avis.

La marche à la guerre

Depuis longtemps, les convois de bœufs qui alimentaient Paris n'arrivent plus à Poissy. La viande est hors de prix et les queues se reforment aux boulangeries. Les banquiers et les émigrés, chargés d'or et de bijoux, emportent leurs richesses à l'étranger. La France n'a plus assez de bonnes pièces de monnaie et le commerce languit. Les marchands hollandais privent les Français de lin et de chanvre. Eux ont de belles pièces d'or et non pas des assignats en papier qui baissent tous les jours. Partout on refuse les assignats et les ateliers ne reçoivent plus de marchandise pour fonctionner. La France, le plus riche entrepôt d'Europe, s'enfonce dans la crise économique. La révolte des noirs aux Antilles françaises accentue le désordre économique. Au club des Jacobins, à l'Assemblée, à la cour, un cri grandit : « c'est la guerre qu'il nous faut ».

juillet **1791**-avril **1792**

Les émigrés répandent mille critiques, à l'étranger, sur la Révolution. Les rois, le pape s'effraient et combattent les idées nouvelles. Un député, Brissot, et ses amis, convainquent l'Assemblée que la guerre est le remède souverain à toutes les difficultés. Le roi et la reine espèrent que la guerre offrira aux armées étrangères l'occasion d'une victoire facile et qu'ils retrouveront tous leurs anciens pouvoirs.

Brissot (1754-1793)

Ce fils d'hôtelier de Chartres fut à l'image des jeunes de son temps. Il délaissa la maison paternelle et courut les chemins de la gloire. Il voyagea beaucoup, apprit l'anglais et ne remporta que de médiocres succès. Comme La Fayette, il connut Washington, Franklin et ne cessa de former les projets les plus fous. Il était « pensionné », c'est-à-dire agent secret de la Cour. C'est lui qui poussa les députés de l'Assemblée législative à faire la guerre. Ce rôle funeste sera l'un des motifs de sa mort. Le tribunal révolutionnaire l'accusera d'avoir engagé la France sur le chemin de la guerre. Mais on n'eut que bien plus tard la preuve qu'il était un « pensionné ».

Bombe nationale

La France avait une avance technique très importante dans le domaine aérostatique. Les ballons prirent leur envol en France dès 1783 et on ne cessa de les perfectionner. Bien sûr, le ballon allait devenir une arme de guerre et l'on croyait que cette arme mettrait fin à toutes les guerres. Les Français utilisèrent leur avance technique pour la propagande révolutionnaire. Ce document montre le premier « largage » dans l'histoire de « tracts » de propagande. Le bonnet de la liberté couronne le ballon et les voyageurs aériens jettent sur les Autrichiens des cocardes et des bonnets tricolores. De l'autre côté du Rhin, l'armée française se réjouit à l'idée que l'empereur d'Autriche sera bientôt abattu par les soldats autrichiens gagnés aux idées nouvelles.

L'Europe et la Révolution

Les émigrés qui fréquentent les cours étrangères d'Italie, d'Allemagne et d'Angleterre alarment les rois et les princes d'Europe. Ils disent que le mot nation est un mot funeste qui porte en lui une force capable d'abaisser leur pouvoir. Les rois étrangers craignent que leurs peuples n'imitent les Français et qu'ils adoptent les idées de la *Déclaration des droits de l'homme et du citoyen*. Le 14 septembre 1791, les citoyens d'Avignon et du Comtat ont obtenu de devenir Français. Le pape, souverain de ces terres, se lamente de perdre sa belle ville d'Avignon. Il a des mots très durs pour la Révolution française et parle avec mépris du peuple français, « multitude effrénée ». Il encourage les prêtres à refuser le serment à la nation et à la loi, et affirme que le droit des rois est plus fort que le droit du peuple. Il proclame que la puissance du roi vient de Dieu. L'Église présente le roi de France comme un roi martyr et offensé, comme on offensa le Christ.

« Du sang, nous en arroserons la terre »

Un livre de géographie annonce aux Français qu'ils sont 27,4 millions. Ils sentent que cette masse humaine est une force considérable. L'avenir leur appartient. De leur sang, ils sont prêts à en arroser la terre pour que les rois périssent. Que le peuple anglais dévaste le palais Saint-James de Londres ! Que tous les peuples s'unissent pour abaisser l'empereur germanique, l'impératrice de toutes les Russies, le sultan d'Istanbul ! Le 27 août 1791, la Déclaration de Pillnitz signée par le roi de Prusse et l'empereur d'Autriche montre aux Français que les rois étrangers prennent parti pour le roi et la reine. La reine de France Marie-Antoinette, sœur de Léopold II, empereur* d'Autriche, lui écrit en secret : « nous n'avons plus de ressources que dans les puissances étrangères ». L'empereur répond à sa sœur : « tout ce qui est à moi est à vous, État, argent, troupes, enfin disposez librement ». Les nobles, gens de plumage, parfumés et couverts de galons, soufflent dans les oreilles du roi les pires conseils. Alors au son de la trompette, les Français

s'acheminent vers la guerre. Les amis de la Révolution croient que la guerre servira à démasquer ceux qui jouent un double jeu. Ils écoutent le député Brissot, journaliste et jacobin, qui veut libérer les peuples esclaves. D'un cœur léger, lui et ses amis entraînent la France à la guerre. Ils annoncent le châtiment des traîtres, des amis de la reine et de tous ceux qui dans l'ombre agissent avec le « Comité autrichien* ». Ces propos irresponsables favorisent les projets des ennemis de la Révolution. Ils pensent que la guerre fournira aux armées étrangères le prétexte de l'invasion de la France. Quand les Prussiens et les Autrichiens seront à Paris, Louis XVI retrouvera la splendeur de son pouvoir déchu.

La déclaration de guerre

Le roi Louis XVI finit par se convaincre que la guerre est son salut. Il approuve toutes les décisions de l'Assemblée législative qui enveniment les querelles de la France avec l'Europe. Il donne ordre aux princes allemands de mettre fin aux rassemblements d'émigrés qui se forment sur leurs territoires, sous peine de les considérer comme des ennemis de la France. Le mécanisme de la guerre s'enclenche. La reine se réjouit et écrit dans sa correspondance secrète : « les imbéciles, ils ne voient pas que c'est nous servir ». Elle sait que si la guerre commence, toutes les puissances s'en mêleront. Dans l'état de désorganisation où se trouvent nos armées et notre pays, les fortes armées étrangères balayeront nos pauvres bataillons. Le 20 avril 1792, le roi Louis XVI fait adopter dans l'enthousiasme la déclaration de guerre contre François II, le nouveau roi et futur empereur de l'empire germanique. Bientôt la Prusse rejoint l'empire germanique et toutes les forces autrichiennes et allemandes sont prêtes à fondre sur la France.

Les Français
de plus en plus divisés

Bien peu de sages personnes mettent en garde les Français contre la guerre et son cortège de malheurs. À l'Assemblée, au club des Jacobins, dans les journaux, tout le monde croit que la guerre est le remède souverain aux ennuis de la France. Dans les campagnes, le prix du blé monte et l'approvisionnement devient difficile. Les paysans arrêtent et pillent les convois. Ils demandent que le blé soit fixé à un prix raisonnable. Le 3 mars 1792, 600 paysans font irruption dans la ville d'Etampes, en Beauce, et massacrent le maire Simoneau. Partout, des paysans arrachent les blés de vive force. Les Feuillants et les amis du roi pleurent la mort de Simoneau, victime de la fureur de la populace. Les Jacobins affirment que justice a été faite. Ils préfèrent glorifier les soldats suisses qui furent condamnés aux galères pour avoir réclamé plus de liberté dans les régiments. Les Français ont chacun leur héros. Vive Guillaume Tell qui lutta avec son javelot de fer contre le gouverneur d'Autriche ! Un mot nouveau apparaît : « Sans-culotte ». Par moquerie, les nobles en culotte et galons, nommaient les hommes des faubourgs des sans-culottes*. « Sans-culottes nous sommes, sans-culottes nous voulons être ! » rétorquent fièrement artisans et compagnons. Mais le torrent des mots et des fêtes se heurte à la réalité. Le beau printemps de 1792 sera le printemps de la guerre.

La prise des Tuileries

La déclaration de guerre pousse à l'extrême la marche de la Révolution. La cour pensait que la guerre servirait à rétablir la monarchie dans ses anciens droits. Mais la peur de la défaite anime le courage des sans-culottes et des fédérés. La journée du 10 août 1792 a une portée considérable. Le roi est destitué. Il n'y a plus de monarchie française.

« La Marseillaise »

Ce document est l'un des documents les plus anciens qui se rapporte à la « Marseillaise ». Il date de l'année 1792. Rouget de Lisle (1760-1836), son créateur, écrivit ce chant le 25 avril 1792. La « Marseillaise » devint si rapidement célèbre que cette partition fut imprimée à Londres. Les fédérés de Marseille ont une allure fantaisiste, plus anglaise que française.

La naissance de la « Marseillaise »

La France a déclaré la guerre pour démasquer les traîtres et libérer l'Europe esclave. Mais les bonnes intentions ne suffisent pas à faire une bonne armée. Tant de nobles sont partis pour l'étranger, tant de désordres économiques ont rompu la marche habituelle du commerce, tant de querelles ont éclaté dans les bataillons, qu'on ne donne pas cher des chances de victoire des armées françaises. A Strasbourg, où se tient l'armée du Rhin, les murs sont couverts d'affiches blanches. Cinq jours après la déclaration de guerre, le 25 avril 1792, le maire de la ville demande à un jeune capitaine, violoniste et poète amateur, d'écrire une chanson pour encourager les troupes. Rouget de Lisle, soldat et musicien, puise un air dans la musique du temps. Un concerto de Mozart lui trotte dans la tête. Le capitaine appartient au bataillon « Les enfants de la patrie ». Il aligne des sol-do-ré-mi. Il s'inspire du nom de sa troupe et voici les premiers mots de notre futur hymne national : « Allons enfants de la Patrie ». Ce chant fera le tour de la France et quand les fédérés de Marseille viendront à Paris, ils le chanteront tout au long de leur chemin. A chaque assaut, les Français reprendront les paroles qui les armeront de courage : « Aux armes citoyens ».

Les fédérés

« Il faut des chants, mais aussi des armes, pour défendre la Révolution », disent les sans-culottes. La géographie commande les lois de la guerre. Paris est une ville sans défense naturelle. Il n'y a ni hautes montagnes, ni fleuve infranchissable pour la protéger des invasions. Seules les forteresses défendent l'avancée des armées étrangères. Les Autrichiens et les Prussiens ont beaucoup de complices et d'amitiés secrètes. Les traîtres à la nation leur facilitent la tâche. Comme on s'y attendait, les défaites marquent les premiers jours d'affrontements. C'est Marie-Antoinette, « l'Autrichienne », qui dévoile tous les secrets de la nation. Les Parisiens prennent peur et comprennent qu'ils ne doivent compter que sur eux-mêmes. Qu'on massacre les généraux qui tournent les talons devant l'ennemi ! Qu'on forme un camp de 20 000 hommes pour défendre la capitale ! Que tous ceux qui se souviennent du 14 juillet 1790, jour de la fête de la Fédération, se tiennent prêts à renouveler leur serment d'union ! Tous se préparent à revenir avec un fusil pour défendre la ville sainte de la Révolution. L'Assemblée nationale décide de former un camp de 20 000 hommes à Paris pour défendre la capitale. Mais le roi Louis XVI refuse de signer le décret de la formation du camp des fédérés.

Le 20 juin 1792

Le 20 juin 1792, la foule célèbre l'anniversaire du serment du Jeu de Paume. Il y a déjà deux ans que la Révolution marche d'un pas toujours plus rapide. Les citoyens et les sans-culottes écrivent de longues listes de pétitions où des milliers de signatures indiquent l'indignation soulevée par le refus du roi. Ce « gros cochon » de Louis, disent-ils, refuse le camp des

MARCHE DES MARSEILLOIS
CHANTÉE SUR DIFERANS THEATRES
Chez Frere Pafsage du Saumon

fédérés parce qu'il est le complice de l'empereur germanique. Le peuple se lève à nouveau. Il hurle le « Ça ira » et dresse un arbre de la liberté. Il danse avec entrain des farandoles patriotiques. A la pointe des piques de fer sont accrochées des culottes* et des bonnets rouges. Un cortège de manifestants marche vers les Tuileries. Les portes du château volent en éclats et le roi est acculé dans l'embrasure d'une fenêtre. « Monsieur », dit la foule à Louis XVI, « allons prenez le bonnet rouge qui est sur la pointe de cette pique ». Le peuple couronne le roi d'un bonnet rouge, lui qui fut couronné à Reims d'une couronne d'or. Louis lève son verre et boit à la santé de la nation comme un ouvrier dans une taverne. Le 20 juin 1792, le peuple de Paris s'est assis sur le trône. Les jours du roi sont comptés.

La Patrie est déclarée en danger

Les nouvelles de la guerre sont mauvaises. Les Prussiens avancent. Le 11 juillet 1792, la « Patrie est déclarée en danger ». La fièvre de l'enrôlement des volontaires gagne Paris et la province. Des tables posées sur des tambours, des drapeaux bleu-blanc-rouge qui claquent au vent, une bannière où sont écrits ces mots électriques « La Patrie est en danger » forment les lieux de fortune où viennent s'engager les volontaires. Pendant ce temps, les fédérés des départements arrivent à Paris. Brest et Marseille se distinguent. Ces villes des extrémités du royaume envoient des troupes résolues et bien équipées. A l'Assemblée législative, les attaques contre le roi se multiplient. « A quoi bon garder une constitution, puisque le roi veut nous perdre », disent les députés les plus hardis. La Patrie est en danger, mais on ne fait rien de sérieux pour la sauver, disent les sections et le club des Cordeliers*. Le général La Fayette, au lieu de combattre les étrangers, s'indigne de la journée du 20 juin 1792. On dit qu'il veut donner une bonne leçon aux Parisiens. Partout l'alarme grandit. Le 3 août 1792, on apprend à Paris que le duc de Brunswick menace Paris d'une destruction totale si l'on touche à un cheveu du roi. Les fédérés de Marseille chantent à pleins poumons « la Marseil-

À l'assaut des Tuileries

La prise du château fut à la fois une victoire des faubourgs et des fédérés. L'armée des faubourgs avait placé en son centre les Bretons, les Marseillais, les Bordelais et tous les autres fédérés. C'est la France entière qui monta à l'assaut du château. Le château fut pillé : vitres, glaces, pendules, meubles précieux, tout fut dévasté et brûlé. Toutes les statues des rois à Paris furent abattues. La seule statue équestre qui ne fut pas abattue fut celle d'Henri IV.

laise ». Des feuilles entières se couvrent de signatures qui demandent la déchéance du roi. Dans les sections, les sans-culottes préparent les piques. Les journaux royalistes annoncent le retour de la vengeance et s'adressent aux sans-culottes en disant : « les vengeurs de vos forfaits* sont à vos portes ». Un nouvel orage révolutionnaire va éclater.

L'attaque du château des Tuileries

Le château des Tuileries est bien gardé. Une garde de Suisses et de fidèles soldats du roi constitue une armée capable de résister longtemps. Dans les sections des faubourgs Saint-Antoine et Saint-Marcel, on s'apprête à sonner le tocsin, la cloche des dangers et des combats. Les fédérés de Marseille sont au club des Cordeliers et les

Brestois à la section des Gobelins. Tous attendent le signal du ralliement et de l'attaque. Dans la nuit du 9 au 10 août 1792, des commissaires se rendent à l'Hôtel de Ville de Paris et forment une Commune* nouvelle. Les canonniers, les mains salies par la poudre et la graisse, se tiennent prêts. A 6 heures du matin, la Commune de Paris prend le pouvoir et à 9 heures du matin, les colonnes des insurgés marchent sur les Tuileries. Les fédérés et les sans-culottes, avec leurs fusils, leurs canons et leurs piques, attaquent le château. Le roi a entendu les clochers des faubourgs sonner le début des combats. Avec sa famille, il quitte les Tuileries et part pour l'Assemblée législative se mettre à l'abri. Pendant ce temps, un combat farouche oppose les troupes royales aux troupes de la Révolution. Soixante Marseillais et le capitaine des Brestois périssent dans l'assaut. Quand le château est pris, une chasse à l'homme commence. Avec des cris d'une bestialité déchaînée, les Suisses sont massacrés. Les Champs-Élysées et les Tuileries se couvrent de cadavres. Les statues des rois, les fleurs de lys, les couronnes en pierre sont détruites avec une fureur frénétique. L'Assemblé législative comprend que le pouvoir du roi est ruiné, détruit à jamais. Elle décide de suspendre le roi. La France n'est plus une monarchie.

La France n'est plus une

C'est la crainte des complots des aristocrates et la menace des armées étrangères qui ont poussé à l'insurrection du 10 août 1792. La nation vit des moments de bouleversements complets. Un roi est en prison dans son royaume et les armées ennemies marchent pour le délivrer. Avec une fièvre de ville assiégée, Paris massacre les prisonniers et les prêtres. Chacun se prépare à vaincre ou à mourir.

Affiche

Sur ce placard ironique, le peuple de France remercie le roi Louis XVI de l'avoir aidé à se libérer du joug de la monarchie.

Le roi est suspendu de ses fonctions

Le 10 août 1792, à 4 heures du soir, le roi est suspendu de ses fonctions. Au milieu de la bousculade, il réussit à remettre un trousseau de clés à son valet Thierry*. Le 13 août 1792, le roi dépose son épée et va en prison avec toute sa famille. Le roi et sa famille sont emprisonnés au Temple, vieille bâtisse du Moyen Âge, aux tours sombres et lugubres. Ils passent leur première nuit de prison dans des chambres couvertes de toiles d'araignées et sur des lits de fortune. La France n'est plus une monarchie et n'est pas encore une république.

La vie des prisonniers au Temple

Les jours suivants, aux grilles de la tour, le roi montre un visage tranquille et les Parisiens viennent aux fenêtres crier des jurons : « ventre saint-gris ! sale cochon ! A bas Louis le traître. » Sous les marronniers en feuilles de la cour, le roi joue au volant avec son jeune fils, le Dauphin. Longtemps, un simple ruban tricolore servit de muraille pour contenir la foule menaçante. Le prisonnier appartient à la

La royauté anéantie par les sans-culottes

« Je renverse tout, je fauche tout. Je suis fils d'un sans-culotte : je porte en mon cœur la liberté, l'égalité gravées, et la haine des Rois. »

PASSANT,
ARRÊTE, ET LIS :

Apprends ici, ce dont peut-être tu ne t'es pas encore douté.

Tu dois à Louis XVI une grande reconnoissance, en ce que lui seul, dans moins de deux années, a plus fait pour éteindre la funeste superstition des Peuples pour les Rois, que n'auroient pu le faire les Ecrivains Philosophes, Amis de l'Humanité, dans le cours de tout un siècle.

---

nation et la nation ne peut commettre de crime. Louis reste calme et confiant. Des messages cachés dans des bouchons de bouteilles de vin, dans du pain ou mis sous le lit, lui disent que l'armée française recule partout. Des mains amies lui font des signes de doigts avec le langage des muets, pour annoncer l'avancée des armées prussiennes. Payé par les royalistes, Lubin, un vendeur de journaux à la voix de stentor*, lui annonce que Verdun a été prise le 1er septembre 1792. Louis, le géographe, sait que plus aucune place forte n'arrêtera la marche des Prussiens. La bataille se livrera dans les plaines de Champagne. L'armée prussienne écrasera l'armée de la Révolution qui n'a même plus une forteresse pour se mettre à l'abri. Rien ne peut battre les 60 000 soldats prussiens de Brunswick. Louis est plein d'espoir. Dans quelques jours, ils seront sous les murs de Paris.

Les massacres de septembre

Paris, la ville emmurée, prend peur. Quand les Prussiens seront au pied des murailles, il y aura des traîtres pour

monarchie

Les massacres de septembre

La section Poissonnière donne le signal du massacre en prenant l'arrêté suivant : « la section, considérant les dangers imminents de la Patrie et les manœuvres infernales des prêtres, arrête que tous les prêtres et personnes suspectes, enfermés dans les prisons de Paris, Orléans et autres seront mis à mort. »

La fin d'une aristocrate

Le corps de la princesse de Lamballe est mis en pièce et sa tête érigée au bout d'une pique.

leur ouvrir les portes. Il faut lutter contre les ennemis de l'intérieur qui ont pour chef le « gros cochon du Temple », le « foutu aristocrate », leur chef et complice. Le 30 août 1792, des pères de familles se transforment en hommes de l'Inquisition*. Ces honnêtes gens deviennent des bêtes féroces. Ils forcent les portes des maisons des citoyens suspects et assassinent des prêtres insermentés* qu'on menait à la prison de l'Abbaye. 3 000 suspects, innocents ou coupables, s'entassaient dans les prisons. Le goût du sang vient à la bouche des révolutionnaires. Des tribunaux extraordinaires, sans loi et sans droit, se mettent en place dans les prisons, les 2 et 3 septembre 1792. Des révolutionnaires, ivres de fumée et de vin, condamnent à mort tous les prisonniers qu'on leur envoie. La pipe à la bouche, un brave citoyen se change en un juge sans pitié. A celui qui crie son innocence, on dit qu'il a raison et on le conduit à la porte où se tient la guillotine. 300 prisonniers de l'Abbaye sont massacrés et d'autres mises à mort sont prononcées à l'issue d'une parodie de justice dans les prisons de Paris. L'huissier Maillard et d'autres hommes tranquilles prennent un visage de massacreurs et se font « septembriseurs* ». Dans la nuit du 2 au 3 septembre 1792, a lieu la Saint-Barthélémy des aristocrates. 1 100 prisonniers sont massacrés et leurs corps nus entassés sur des charrettes. Maintenant que le sang a coulé, que les ennemis du Peuple ont péri, « les septembriseurs » disent : c'est à notre tour de mourir. Que viennent les Prussiens !

août - septembre 1792

La France devient une

La crainte de l'arrivée prochaine des Prussiens avait fait couler un bain de sang dans les prisons de Paris. La bataille de Valmy est une formidable surprise pour tous les hommes de ce temps. Après l'arrestation du roi, des élections sont organisées pour réunir une nouvelle assemblée, appelée Convention. La première décision des Conventionnels est de proclamer la République française, le 22 septembre 1792.

Avis aux bons tireurs

Affiche de recrutement pour défendre Paris.

Valmy.

La bataille de Valmy

Les soldats qui combattent dans les armées des frontières viennent des campagnes profondes. Ces adolescents débutent dans le métier des armes. Les deux tiers ont moins de 25 ans et possèdent plus de fougue que d'expérience. Les soldats français ont des uniformes différents. Les « blancs » appartiennent aux régiments de la vieille monarchie et les « bleus » sont les jeunes volontaires engagés pour défendre la patrie. Ces deux armées, l'ancienne et la nouvelle, marchent ensemble pour combattre les Prussiens. Les régiments nouveaux montent au front en chantant le « Ça ira » et les autres poussent les cris de guerre

république

de la vieille France : « En avant, Navarre sans peur ! » ou « Toujours, Auvergne sans tache ! » Depuis les premiers jours de septembre, les Prussiens poussent des hourras. Dans leur camp, on entend répéter les cris « A Paris ! A Paris ! ». Les généraux prussiens et leurs soldats se promettent une partie de plaisir contre les avocats de la Convention*. « Vous verrez comment on va les rosser », disent les Prussiens, « ce sera une vraie chasse à courre. » « Allons, encore un peu de champagne, Monsieur le duc de Brunswick, les chemins de la gloire vous sont ouverts. » Les armées pataugent dans la boue et le pain crisse sous les dents. Depuis des jours, il pleut sur l'Argonne*. Les Prussiens disposent de deux cents canons qui peuvent cracher des boulets meurtriers. Les Français ne peuvent compter que sur cent canons. Près du village de Valmy, le 20 septembre au petit matin, le Strasbourgeois Kellermann, tout nouveau général, exalte le courage des hommes qui vont défendre le drapeau de la Patrie. Il brandit son chapeau au panache tricolore au bout de son sabre, et crie : « Vive la nation ! ». Alors les troupes vaillantes, chantent « allons enfant de la Patrie » et marchent sur l'ennemi. 20 000 boulets déchirent le ciel embrumé. Le sifflement des boulets n'effraie pas les « bleus ». Devant tant de courage et de détermination, les Prussiens tournent les talons. Valmy électrise tant les armées françaises que, sur tous les fronts, la victoire leur sourit. « Allons soldats prussiens », disent nos soldats de Lorraine et d'Alsace, « faites triompher chez vous les principes de la liberté et de l'égalité ». Le torrent révolutionnaire fait tourner les esprits partout en Europe.

La proclamation de la République

Depuis le 10 août 1792, les lois de la France sont bouleversées. Au début de la Révolution, la France avait eu une constitution mixte, à moitié monarchique et à moitié républicaine. Désormais, il n'y a plus de roi et de nouvelles élections sont nécessaires. Tous les citoyens sont appelés à élire de nouveaux députés. Il n'y a plus de distinction entre citoyens riches et citoyens pauvres. Tous les hommes de plus de 25 ans désignent leurs représentants à

la nouvelle assemblée. Mais longtemps encore les femmes seront privées du droit de vote. Au mois d'août 1792, la France fait l'apprentissage du suffrage universel. La nouvelle assemblée élue s'appellera Convention. Le 22 septembre 1792, les Conventionnels* abolissent la royauté et proclament la République française. Tous les actes publics seront datés de « l'an premier de la République française ». Les temps anciens sont abolis. On ne parlera plus d'ère chrétienne, mais de l'ère française qui marque le triomphe de la vérité et de la raison. Tous pensent qu'avec la République, les hommes sortent de l'enfance. Le temps des hommes majeurs commence.

La première bataille politique à la Convention

Les nouveaux députés hésitent sur la conduite à tenir. Qui avait prévu que la France deviendrait une république ? Tant de pouvoirs nouveaux sont nés que nul ne sait à qui obéir. La Commune de Paris a renversé le roi grâce aux sans-culottes et à leur « saintes piques ». Ils sont les maîtres des sections des faubourgs. L'ancien maire de Paris est remplacé par un maire farouchement républicain. Les massacres de septembre 1792 ont montré que les lois et la justice n'étaient pas respectées. À la Convention, les députés amis de Brissot qu'on appelle « Brissotins » ou « Girondins » ont peur des carnages des Parisiens. Ils veulent ménager le roi et se hâtent lentement de faire son procès. Ils disent que la Révolution doit arrêter sa course folle. Le peuple de Paris veut faire mourir le prisonnier du Temple. Des manifestations se déroulent autour de la prison. Les Marseillais chantent : « Madame monte à sa tour, ne sait quand descendra ». Des mains dessinent sur les murs des petites guillotines et écrivent dessous : « Louis crachant dans le sac ». Une bataille farouche s'engage pour décider du sort du roi. Les Français savent que les Prussiens fuient toujours plus loin. À quoi bon garder l'otage du Temple ? Il est temps que son procès s'engage.

21 septembre 1792

Le procès et la mort du roi

Les armées étrangères reculent sans cesse et elles ne viendront pas délivrer le roi. Dans sa prison du Temple, Louis perd l'espoir d'être sauvé. La découverte de l'armoire de fer qu'il avait construite de ses mains, accumule contre lui les soupçons. Lors du procès à la Convention, Louis ne sait pas gagner le cœur de ses juges. Il est aussi maladroit à se défendre qu'il l'avait été à gouverner.

Le donjon du Temple

C'est dans cette sinistre tour que le roi vécut ses derniers jours.

L'appartement de la famille royale

Un dîner en prison, en présence des employés municipaux.

Le roi perd l'espoir d'être sauvé

Depuis des semaines la voix de Lubin, le vendeur de journaux payé pour crier les nouvelles au roi, ne lui annonce plus que des événements funestes. Les armées étrangères reculent encore. Elles ne viendront pas le libérer. Le roi se met à relire l'*Histoire d'Angleterre* qui racontait la mort de Charles Ier. Il se souvient de la lettre de Turgot. Les Conventionnels* hésitent sur la conduite à tenir. Comme tous les Français de ce temps, ils avaient été élevés dans le respect du roi et avaient prié pour lui. Dans leur jeunesse, par les fenêtres illuminées de leurs collèges, ils avaient poussé les hourras pour ses anniversaires. Ils avaient récité des poèmes à sa gloire. En habit de bourgeois et en famille, le roi redevient un simple citoyen qui soulève la compassion. Le prisonnier du Temple semble plus fort derrière les barreaux de sa prison que dans son château.

Un roi est-il jugeable ?

Certains députés de la Convention affirment que la personne du roi est sacrée et qu'on ne peut le juger. Louis a déjà assez payé en perdant sa cou-

ronne. Le citoyen Louis de Bourbon n'est coupable de rien. Les autres répondent : il n'y a pas de loi pour Louis XVI, comme il n'y a pas de loi pour le capitaine de vaisseau qui livre son navire aux corsaires. Saint-Just*, un député de vingt-six ans encore presque adolescent, crie à la Convention le 13 novembre : « Louis est un barbare, un prisonnier de guerre, l'assassin d'un peuple. Ce n'est pas un citoyen, c'est un criminel. » Mais qui jugera le roi ? Les députés girondins* pensent faire appel au peuple pour gagner du temps et faire naître la pitié. Mais nous sommes le peuple, répliquent les députés de la Montagne*. La Convention se fait alors tribunal de justice.

La recherche de preuves

Si le roi a trahi, il faut des preuves. Dans les papiers saisis aux Tuileries le 20 novembre 1792, on voit bien que le roi a fait des choses illégales et que son intendant a fait du trafic sur le sucre et le café. Mais ces actes valent-ils la mort ? La passion pour la serrurerie fit commettre à Louis une faute qui fournira une des preuves de sa condamna-

veut reconnaître aucune des pièces à conviction qui lui sont présentées et qui portent sa signature. A la deuxième séance de son procès, le 26 décembre 1792, le roi feint de ne pas reconnaître les clés qui ouvrent l'armoire de fer. Il sait pourtant, lui, l'ami de serruriers, que ces clés sont uniques et qu'il les a faites de ses mains. S'il ment pour les clés, il doit mentir pour tout. Ce mensonge fait le pire des effets sur ses juges de la Convention et il le précipite un peu plus vers la mort.

La condamnation à mort du roi

Les Conventionnels accordent au roi deux avocats courageux pendant que l'Espagne et l'Angleterre achètent des députés pour qu'ils ne votent pas la mort. Nul ne sait encore quelle sera la réponse à la question : « Quelle peine lui sera infligée ? » La Convention a décidé que le vote sera public et que chaque député se prononcera à haute voix en présence de la foule. Le scrutin commence le 16 janvier 1793 à 8 heures du soir. Chaque député donne son opinion devant un public tassé et électrisé. La majorité absolue est de 361 voix et au bout de vingt-six heures de vote, la condamnation à mort recueille 361 voix. Le lundi 21 janvier 1793, le roi quitte le Temple pour la place de la Révolution au milieu de 80 000 soldats en arme. Il meurt à 10 heures 22 minutes et personne ne songe à porter son corps à Saint-Denis, là où reposent tous les rois de France.

Malesherbes (1721-1794)

Ce magistrat, secrétaire de la maison du roi, fut chargé de défendre Louis XVI devant la Convention.

Le procès

Louis Capet devant la Convention niera jusqu'au bout les faits qui lui sont reprochés.

tion. Il avait construit en cachette dans un recoin des Tuileries une armoire, avec une porte de fer. Le serrurier Gamain, son vieux compagnon de travail, l'avait aidé dans cette tâche. Le 20 novembre 1792, le serrurier ne peut garder plus longtemps son secret. Il dévoile tout et on découvre dans l'armoire de fer 625 documents qui prouvent le double jeu du roi.

Le procès du roi

Quand, le 11 décembre, le roi est introduit à la Convention, l'assemblée frémit. Le roi a le teint gris des prisonniers. Il a grossi. La moitié des Conventionnels le voient pour la première fois et ils sentent leur cœur chanceler. Dans le grand silence de la salle, le président qui l'interroge l'appelle Louis Capet, il répond que ce n'est pas son nom. Ses juges ne savent même pas comment l'appeler . Mais le roi ne gagne pas le cœur de ses juges. Il ne

11 décembre 1792
21 janvier 1793

Girondins et Montagnards

La mort du roi exaspère les querelles. Les députés girondins ne veulent pas d'une république populaire. Ils veulent contenir Paris, ville sainte des sans-culottes. Pendant six mois, de janvier à juin 1793, Girondins et Montagnards s'affrontent. La Montagne, soutenue par les clubs et le peuple, élimine les Girondins.

Vergniaud (1753-1793)

Cet avocat de Bordeaux fut le plus brillant orateur de la Convention.

Le procès de Marat

Détesté par les Girondins, Marat, le rédacteur du très populaire *Ami du peuple* fut arrêté, passa devant le tribunal révolutionnaire et, finalement, fut acquitté à la grande joie des sans-culottes.

Les « Girondins », les « Montagnards » et « la Plaine »

La mort du roi engage la Révolution sur un chemin sans retour. Il lui faut vaincre ou mourir. Les quelque 700 députés de la Convention sont divisés. Beaucoup avaient hésité à faire mourir le roi et certains en éprouvaient du remords. Ils se demandent jusqu'où le torrent de la Révolution conduira la nation. Pendant l'hiver 1793, à la Convention, trois brillants orateurs du département de la Gironde, trois avocats de Bordeaux, coiffés et vêtus avec un soin extrême, Gensonné, Guadet et Vergniaud, dominent les débats. Vergniaud, chef de file des « Girondins », tient sous le charme de ses discours les députés qui ne savent quel parti prendre. Les Girondins avaient une expérience du gouvernement et ils occupaient des postes importants. Beaucoup de Conventionnels, hommes d'âge mur et honnêtes, désireux de servir la patrie, les écoutent sans s'engager à leurs côtés. Ces hésitants, ces timides forment le « marais ». Ceux qui paraissent les plus résolus à combattre les idées des Girondins, forment la « Montagne ». Ces « Montagnards » ne sont pas des élus des montagnes françaises, mais ils s'assoient tout en haut des gradins de la salle du Manège. La Montagne a peu d'amis dans la Convention, mais elle trouvera dans la rue la puissance qui lui manque à l'intérieur de la Convention.

Les désordres économiques

À Paris, de nouveaux boulangers ont ouvert boutique. Plus aucune loi ne leur interdit de s'établir. Ces boulangers habituent les estomacs du peuple à se nourrir d'un pain blanc et délicat. Mais le pain pétri avec de la fleur de farine coûte cher. Les nouveaux boulangers n'ont qu'un four et travaillent lentement. Si la farine vient à manquer, la peur de la famine resurgit. Depuis le renversement du trône, la Commune * de Paris a pris en charge les deux tiers de l'approvisionnement de la ville. Elle organise et réglemente le commerce et, grâce à elle, le prix du pain est toujours raisonnable. Les députés de la Gironde veulent que la liberté la plus totale règne dans le domaine de l'économie. Ils disent que la ville de Paris doit laisser les prix libres de monter ou baisser ! Que la municipalité ne donne aucun argent pour abaisser le prix du pain aux Halles ou approvisionner la ville ! Tant pis si la disette menace et si les prix montent. Il n'y a qu'à espérer des jours meilleurs. Les bateaux étrangers exportent encore librement les produits français et les caisses de vins fins s'entassent au fond de leurs cales. Les Girondins ne font rien pour réglementer l'économie.

Conflit entre le peuple de Paris et la Gironde

Chaque mois qui passe, les prix s'envolent. Les convois de bœufs et de moutons n'arrivent plus à Poissy. Le poisson est hors de prix et on ne voit plus un sac de café dans les entrepôts. Les paysans sèment en hâte dans les sillons des fèves, des haricots et des petits pois, mais pour l'instant, il n'y a presque plus rien à vendre aux Halles. Les blés sont réservés en priorité aux soldats des armées. Les assignats baissent chaque jour. Le 21 janvier 1793, ils perdent 40 % de leur valeur et rien n'arrête leur chute. Plus personne ne veut de ces bouts de papier. Les marchands français et étrangers refusent cette monnaie de singe. Pour trouver des remèdes au mal de l'économie, on oblige les riches à souscrire à des emprunts forcés, on confisque les biens des condamnés à mort. Ces mesures ne donnent aucun résultat. En février 1793, il est bien difficile de se nourrir à Paris. C'est la faute aux marchands qui cachent les blés, disent les habitants des faubourgs. Qu'on taxe les prix ! Que le pain soit fixé à un prix maximum ! Les plus enragés des sans-culottes saccagent les imprimeries des journaux girondins et pillent les boutiques des épiciers. Ils pensent que les Girondins veulent affamer le peuple de Paris et le replonger dans l'esclavage. Les Girondins se moquent des sans-culottes. Est-ce leur faute à eux si Paris n'est pas un port de mer ?

Les Girondins veulent soumettre Paris

Les Girondins excitent la province contre Paris. Des milliers d'écrits injurieux parlent de détruire la Commune de Paris qui a surgi le 10 août 1792 et qui n'a aucun maître. Pour soumettre les sans-culottes qui la dirigent et la remplacer par une commune qui leur soit favorable, les Girondins préparent une force militaire départementale. Ils établissent une Commission des douze, espèce d'inquisition tournée contre les sans-culottes qu'ils accusent d'être des tigres, des anthropophages assoiffés de sang. Les Girondins semblent regretter l'existence de cette république aux allures populaire. Ils décident de s'en prendre à Marat, le chef de file du peuple de Paris. Le 21 avril 1793, Marat, célèbre rédacteur du journal *L'ami du Peuple,* est traduit devant le tribunal révolutionnaire qu'on vient de créer pour juger les ennemis de la République. Ce petit homme, laid et difforme, vêtu comme un pauvre et bredouillant comme un bègue, combat sans relâche les brillants orateurs de la Gironde. Marat entre au tribunal en criminel et en sort en triomphateur. Les sans-culottes défendent si bien leur tribun, l'élu de Paris, l'ami des faubourgs que les Girondins comprennent que cette défaite est l'annonce de leur fin prochaine. « Malheur, dit le peuple, à ceux qui jettent des chats aux jambes des patriotes ! »

Les réformes constitutionnelles

La Convention est née par surprise. Nul ne prévoyait qu'un jour la France deviendrait une république. Les lois constitutionnelles qui organisent les pouvoirs dans une république sont à créer. La Convention ne se presse pas d'établir une nouvelle constitution. Le 10 mars 1793, Danton s'adresse à tous les députés de la Convention : « je somme tous les bons citoyens de ne pas quitter leur poste ». Il se fait un silence profond. L'ami des Cordeliers demande l'établissement d'un tribunal révolutionnaire pour frapper tous les contre-révolutionnaires. Progressivement, l'Assemblée prend en mains tous les pouvoirs. Bientôt elle réunira les pouvoirs de faire des lois, de faire exécuter les lois et de juger ceux qui ne les respecteront pas.

La levée des 300 000 hommes

Au milieu des désordres économiques et politiques, la guerre apporte son cortège de malheurs. Le mois de

Neerwinden

La défaite de Neerwinden contre les Autrichiens survint dans les pires circonstances. En même temps que

mars est le mois de la guerre. Les armées françaises sont entrées à Francfort, à Bruxelles. La France annexe la Savoie et le comté de Nice. Les généraux étrangers préparent la contre-attaque du printemps. Les armées françaises se trouvent dans une situation désastreuse. Le 24 février 1793, la Convention décide une levée de 300 000 hommes. Tous les hommes de 18 à 40 ans peuvent être appelés à la guerre. Les provinces épargnées par les levées d'hommes doivent fournir une plus grande proportion de soldats. Mais les paysans n'aiment pas abandonner leurs foyers et leurs terres. Les pauvres des villages se vendent comme du bétail pour remplacer les riches paysans. On s'arrange pour garder à la maison les hommes les plus vigoureux. Ceux qui partent sont borgnes, bossus ou boiteux. Les plus jeunes, les malades, les nabots plus petits qu'un fusil, sont envoyés au régiment. Est-ce cela l'armée de la République ? Le 18 mars 1793, on apprend la défaite désastreuse de Neerwinden. Le général français Dumouriez annonce qu'au lieu de combattre l'ennemi, il fait marcher ses troupes contre Paris. Le 3 avril 1793, le général rebelle trahit la France et passe avec tout son état-major dans le camp

les armées françaises étaient battues, le général Dumouriez passait à l'ennemi avec tout son état-major et en Vendée, l'insurrection paysanne balayait la République.

ennemi. L'Autriche, la Prusse, l'Angleterre, la Hollande, l'Espagne, le Portugal, la Russie sont en guerre contre la France. On ne donne pas cher des chances de victoire des 14 armées républicaines.

L'élimination des Girondins

Au danger de la guerre étrangère, s'ajoute celui de la guerre civile. En Vendée, un formidable soulèvement éclate. Lyon se rebelle contre la République. L'économie est ruinée et les armées étrangères s'apprêtent à envahir la France. Mais que fait le gouvernement ? Que font les Girondins ? Ils attendent et ne proposent rien. Ils se plaisent aux discordes, n'appliquent pas les lois, laissent les généraux agir à leur gré, et paralysent la Convention. La Commune de Paris ne peut supporter cette faiblesse. Les Montagnards s'indignent de leur incapacité. Sansculottes et députés de la Montagne s'unissent pour organiser une nouvelle émeute. Le 31 mai et le 2 juin 1793, les canons des sans-culottes sont dans la rue. Les députés girondins sont éliminés de la Convention et mis sous surveillance chez eux. Bientôt tous les pouvoirs seront aux mains des Montagnards. « Vive la Montagne et ça ira. »

La guerre de Vendée

Dans les provinces de l'Ouest, en particulier dans les départements de la Vendée, du Maine-et-Loire, des Deux-Sèvres et de la Loire-Inférieure, un formidable soulèvement va mettre en péril la Révolution. Les paysans de la Vendée refusent la Révolution parce qu'elle détruit leurs usages d'autrefois. Pour eux la Révolution est source de malheurs.

La sainte pique
Comme les sans-culottes, l'arme du paysan vendéen est la « sainte pique ». Cette pique est gravée et l'on peut lire sur la lame : « vive le roi, vive la paix Denio (DENIO) capitaine ».

La Vendée, un espace géographique à part

La France n'avait pas une économie uniforme avant la Révolution et chaque province avait ses règles et ses habitudes économiques. Il est une région à cheval sur le Poitou, l'Anjou et le Comté nantais qui a tissé entre ces provinces des liens de commerce centenaires. Cette région au sud de la Loire n'a pas de grandes villes et semble vivre retirée de tout. Aucune route n'a jamais traversé ces pays, enfouis dans les genêts et tapis derrière les haies d'arbres. Là, les villages sont rares, les familles vivent dans des hameaux et des fermes isolées. La France de l'Ouest est le pays du bocage. Un peuple vaillant s'acharne à la tâche pour tirer des richesses du sol et tisser de beaux draps de lin. Ce peuple est aussi un peuple de paysans qui ont la passion de l'élevage. Chaque année, au printemps, les bœufs gras prennent le chemin de Poissy, où se trouve le marché de la viande de Paris. Les bœufs, lourds et nourris avec un soin paternel, sont l'espérance des riches fermiers du bocage. À Paris, on admire ces bêtes à la robe blanche ou rousse, qu'on nomme des « Cholets ». Chaque fois que les paysans vendent leur bête, ils s'enflent d'espérance, car ils en tirent plusieurs écus d'or. Dans ces pays cachés, abondants en nourriture et en hommes, on aimait aussi avant la Révolution à trafiquer sur le sel. Depuis des siècles, des milliers de contrebandiers qui ont bon pied et bon œil, font la guerre contre les centaines de commis de la ferme générale. Il y a dans ces contrées des hommes durs et courageux. Or la Révolution abolit l'impôt du sel. Avec la suppression de la gabelle, trafiquants et soldats de la Ferme* sont au chômage. Ces combattants valeureux sont prêts à embrasser toutes les causes. Dans cette région, la Révolution sera la source de tous les malheurs.

Pourquoi la guerre de Vendée ?

Dans les lieux où la guerre de Vendée va éclater, les nobles possèdent de grandes propriétés. Ces nobles ne payaient pas d'impôts sur leurs terres et ils n'en chargeaient pas leurs paysans, comme c'était la coutume pour les terres bourgeoises. La Révolution décide d'imposer toutes les terres, y compris celles des nobles. Les impôts nouveaux retombent sur les métayers* du bocage parce que les nobles, absents ou émigrés, ne veulent pas s'en acquitter. À cette plus grande charge fiscale, s'ajoute la détresse produite par l'assignat. Un paysan ne peut accepter un morceau de papier contre un bœuf gras. Alors les bourgeois de la ville, marchands et trafiquants, les obligent à prendre ces maudits assignats ou refusent de leur acheter leurs bêtes. Maudite nation, nation du diable, diabolique nation, disent les paysans. On veut notre mort ! On augmente nos impôts et on nous oblige à vendre à perte. De plus la caisse de Poissy est supprimée. Les convois de bœufs ne prennent plus le chemin de la capitale et les charrettes qui servaient à leur transport restent dans les remises. Que faire ? Le paysan du Sud de la France faisait du vin, mais ne le buvait pas. Celui de l'Ouest faisait de la viande rouge, mais ne la mangeait pas. Les bœufs gras ne se vendent plus et on ne peut même pas les manger. Les autres paysans de France peuvent stocker leur vin et leur blé et attendre des jours meilleurs pour vendre. Mais que peuvent les paysans de l'Ouest ? Ils entendent beugler leurs bêtes dans leurs étables et ne peuvent même pas les cacher. Dans les prairies, les bêtes témoignent du refus des paysans de

Vive Louis XVII
Sur les drapeaux vendéens figurent les thèmes de ralliement des armées catholiques et royales.

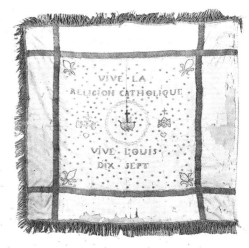

Pierre Haudaudine

Ce Nantais fut capturé par les Vendéens en mai 1793. Les Vendéens ne savaient que faire des prisonniers républicains. Ils demandèrent à trois notables de Nantes d'arranger un échange de prisonniers. Haudaudine fut envoyé à Nantes. Il avait juré de se reconstituer prisonnier si la négociation échouait. La négociation n'aboutit pas ; les Nantais refusèrent l'échange de prisonniers. Les deux autres notables demeurèrent à Nantes, mais Pierre Haudaudine préféra sacrifier sa liberté plutôt que de violer sa parole. Le 12 mai 1793, il repartit pour les prisons vendéennes.

vendre leur bétail. Les bourgeois d'Angers fabriquent de fausses pièces pour les tromper. Puisqu'ils aiment tant l'or, ils auront du cuivre doré.

La révolte monte

Les réformes administratives de la Révolution exaspèrent aussi les paysans. Il ne peut y avoir qu'une église par paroisse. Or dans le bocage, les églises sont disséminées un peu partout. Le nouveau découpage des paroisses crée un malheur. Des dizaines d'églises, où les paysans avaient l'habitude de venir le dimanche, sont supprimées. Tous les ornements, les effets d'or et d'argent, les vases sacrés et les reliques, les cloches dont les tintements berçaient les paysans

depuis leur enfance, tout cela est emporté. « Les bourgeois de Paris aiment l'or de nos églises, disent les paysans, et ils nous donnent du papier pour acheter nos bêtes. Tous ces chandeliers, ces croix, ces encensoirs, seront fondus. Nous aimons ces objets, ils sont les signes de notre alliance avec Dieu, notre protecteur. » Les reliques envolées, les prêtres s'en vont aussi. Le prêtre habituel ne dira plus la messe des morts et pour le baptême du dernier enfant, il faudra aller bien loin. Les prêtres du bocage, tous enfants du pays, espoirs et soutiens de leurs familles, n'acceptent pas ces réformes de la Constitution civile du clergé*. Alors, les centaines de prêtres réfractaires, les nobles et les paysans vont conclure une alliance. Ils attendent une occasion pour se soulever.

La révolte éclate

Depuis le début de la Révolution, les départements de l'Ouest n'ont pas fourni beaucoup d'hommes pour les régiments des armées. Du temps des rois, il fallait entendre les lamentations des villageois quand les gars partaient pour la milice royale. Ils espéraient que la milice, c'était fini. Et voilà que le décret du 24 février 1793 demande aux paysans de l'Ouest de partir nombreux combattre les rois de l'Europe. « L'Europe ? on n'en a cure, protestent dans leur patois les paysans en sabots. Que partent ces messieurs des villes, qu'ils aillent se faire trouer la peau avec leurs écharpes tricolores. » Alors, le 9 mars 1793, les paysans se soulèvent. Au Pin en Mauges, Cathelineau, voiturier, père de famille, celui qui chantait si bien les cantiques à la messe, prend la tête du soulèvement. Les paysans tirent les nobles apeurés de leur retraite paisible. « Allons, sortez de dessous vos lits, quittez vos cachettes, messieurs de la noblesse, nous avons besoin de vous. » Les marquis s'en vont à pied, quittent leur nom de famille pour s'appeler Gaston, comme des hommes ordinaires, et voilà l'armée des paysans et des nobles en campagne. Pendant des mois, cette jacquerie paysanne va faire trembler la République. Jusqu'à l'automne 1793, les Vendéens vont tenir en respect les armées de la France. Le temps des carnages approche.

Le gouvernement

Les événements et la force des choses poussent les révolutionnaires à prendre des décisions auxquelles ils n'avaient point pensé. L'organisation autoritaire de l'État et des pouvoirs, les mesures de direction de l'économie n'avaient pas été prévues par les hommes de la Montagne. Les nécessités d'assurer la victoire de la Révolution poussent les Montagnards à suspendre le cours normal des lois et à établir le gouvernement révolutionnaire.

Saint-Just (1767-1794)

Ce jeune homme, tout juste éligible en 1792 (il venait d'avoir vingt-cinq ans), eut tous les honneurs de l'an II : membre de la Convention, de la société des Jacobins, du Comité de salut public, il fut représentant en mission dans les armées du Rhin et du Nord.

Robespierre (1758-1794)

Cet avocat natif d'Arras se distingua dès ses premières plaidoiries. Il réussit à faire acquitter un habitant de sa ville qui avait installé un paratonnerre. Son action inlassable en faveur de la Révolution lui vaut autant d'admirateurs que de détracteurs. Il restera comme l'inventeur de la formule : « Liberté-Égalité-Fraternité » (5 décembre 1790) et l'âme du Comité de salut public.

L'organisation du gouvernement révolutionnaire

Au mois d'octobre 1792, quelques jours après la réunion de la Convention, il fallut inventer une nouvelle méthode de gouvernement. On forma 18 comités et on invita chaque député à mettre dans une boîte le nom du comité où il voulait servir la patrie. Les 18 comités regroupent tous les secteurs de la vie de la nation. Mais les menaces et les désordres révolutionnaires obligent la Convention à organiser le pouvoir de la République dans des mains fermes. Le 6 avril 1793, la Convention décide d'établir pour un mois un comité avec de grands pouvoirs : le Comité de salut public. À mesure que les périls de la guerre civile et de la guerre étrangère grandissent, ce Comité joue un rôle de plus en plus considérable. À partir du 27 juillet 1793, neuf députés montagnards dirigent avec une main de fer le gouvernement de la France. Pendant un an, neuf hommes de 26 à 46 ans, tous provinciaux sauf un, vont frapper sans pitié les ennemis de la Révolution et briser tous les obstacles qui empêchent son triomphe. Le 10 octobre 1793, ce gouvernement contraignant et autoritaire prendra le nom de gouvernement révolutionnaire.

L'assassinat de Marat : 13 juillet 1793

Quand la province et les grandes villes du royaume apprennent que les Girondins sont mis en arrestation, tous les partisans d'une révolution modérée

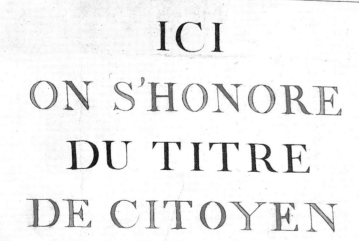

ICI ON S'HONORE DU TITRE DE CITOYEN

A Paris chez J. Chéreau Rue Jacques près la Fontaine Severin, N° 257.

révolutionnaire

Cours révolutionnaires et gratuits

Les plus grands savants s'honorèrent de donner des cours gratuits. Quiconque pouvait assister à ces cours, qui avaient une vocation surtout militaire. Pendant la Révolution, les savants inventèrent le minium contre la rouille, le mastic indissoluble, la sténographie, le télégraphe optique.

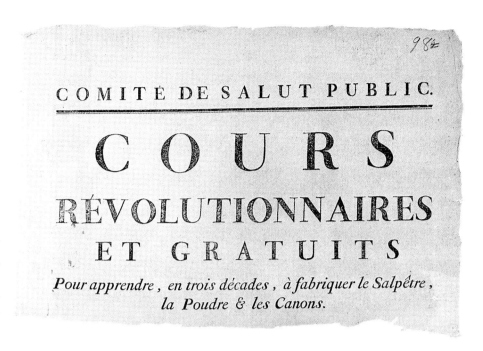

COMITÉ DE SALUT PUBLIC.

COURS
RÉVOLUTIONNAIRES
ET GRATUITS

Pour apprendre, en trois décades, à fabriquer le Salpêtre, la Poudre & les Canons.

se révoltent. Le samedi 13 juillet 1793, Marie-Anne-Charlotte Corday, une jeune provinciale au visage d'ange et à la chevelure soyeuse, achète un couteau. Elle a quitté sa ville de Caen pour tuer Marat, l'idole des Parisiens. Cette femme jeune et belle croit que Marat est responsable des malheurs qui ensanglantent la France. Marat le journaliste accepte de voir cette jeune fille qui dit connaître des secrets. Il la reçoit allongé dans sa baignoire parce qu'il soigne une maladie de peau qui le fait souffrir. Il ne voit pas le couteau caché sous le fichu de la jeune fille. La fille plonge d'une main sûre le poignard dans la poitrine de Marat. Charlotte Corday, revêtue de la chemise rouge de ceux qui tuent leurs parents, mourra avec un courage extraordinaire. « Malheur à nous, pensent les Parisiens, les ennemis de la République sont dans nos murs ! »

La révolte fédéraliste

Les grandes villes de province, Nantes, Bordeaux, Lyon détestent Paris. Les riches bourgeois aiment la révolution, mais détestent les sans-culottes et leur maudite Commune parisienne. Les grandes villes désobéissent à la Convention et guillotinent les partisans des Montagnards. Alors, une guerre sanglante va opposer le pouvoir central aux bourgeois des villes. Le 8 août 1793, Lyon est en révolte contre les Montagnards. L'armée républicaine assiège sans succès la ville. Couthon, le plus populaire des membres du Comité de salut public, est envoyé pour reprendre la ville. Cet Auvergnat aux jambes paralysées quitte la Convention et part pour le Puy-de-Dôme. Il convoque le peuple à la cathédrale le 29 août 1793. Ce saint Bernard de la Révolution prêche dans son fauteuil à roulettes la

ruée contre la « Vendée Lyonnaise ». Il lève une armée d'Auvergnats, leur demande de se procurer du pain cuit pour quatre jours, des fusils, des haches, du vin et de l'eau-de-vie. Il annonce à la France : « Les rochers d'Auvergne vont rouler sur les rebelles et les écraser ». Devant la foi républicaine de cette pauvreté vaillante, le 9 octobre 1793, Lyon capitule. Couthon est porté en triomphe dans son fauteuil d'invalide. La Convention proclame : « Lyon fit la guerre à la liberté, Lyon n'est plus ». Le 26 octobre 1793, un marteau à la main, Couthon frappe trois coups sur la façade d'une des riches maisons lyonnaises de la place Bellecour : « Au nom de la loi, je te condamne à être démolie. »

Les idées sociales des Montagnards

Saint-Just, le plus jeune député du Comité de salut public, écrit : « il faut que l'homme vive indépendant ». Il veut que chacun ait des terres, que la pauvreté disparaisse et que l'on distribue les biens nationaux aux pauvres. La constitution, adoptée le 24 juin 1793, affirme que les hommes ont le droit de demander du travail ou une assistance. Il faut venir au secours des invalides

et des vieux. Saint-Just a des idées qui prêtent à sourire. On dirait qu'il rêve à la Grèce antique et à Sparte. Il imagine un monde où les hommes avant de devenir adultes, devront traverser un fleuve à la nage. Dans ses rêveries, il affirme que tout homme devra avoir des amis et travailler. Celui qui n'exercera pas un métier devra élever quatre moutons. Tous les ans un jeune homme riche et honnête épousera une jeune fille pauvre pour favoriser l'égalité humaine. Mais tous les Montagnards ne font pas des rêves enfantins. Le 10 juin 1793, ils votent la loi de la séparation des biens communaux. En certains lieux, tous les paysans recevront des parcelles égales. Le 17 juillet 1793, pour s'assurer le soutien de tous les paysans, ils suppriment tous les droits féodaux. Plus question de rachat ou de remboursement ! La terre est à vous, paysans ! Plus jamais aucun seigneur ne viendra poser de limites à la liberté de vos terres. Les paysans applaudissent à ces mesures, mais ils se méfient encore de ceux qui parlent de taxer les prix ou de réquisitionner les récoltes qu'ils dissimulent dans leurs greniers. Dans les villes, les sans-culottes déchaînés vont pousser la Révolution aux pires extrémités.

Les sans-culottes et l'an II

Les 31 mai et 2 juin 1793, les sans-culottes ont aidé les Montagnards à se débarrasser des Girondins. Mais le mouvement sans-culotte grandit en force. Il impose ses conceptions au Comité de salut public. Le désastre économique conduit la République à prendre des mesures d'autorité pour que les prix ne montent pas trop. Le 29 septembre 1793, la loi du maximum fixe pour chaque produit un prix de vente qui ne peut être dépassé.

Le père Duchêsne

« Le père Duchêsne » est un personnage inventé par Hébert, journaliste et homme politique ami des sans-culottes. Ce personnage dit avec des gros mots ce que pense le peuple ou la foule. Avec ses moustaches et le fourneau brûlant de sa pipe, le « père Duchêsne » fut un personnage redoutable. Au moment de la Terreur, celui qui lisait le « Père Duchêsne » avait la meilleure protection. On ne faisait aucun mal à un lecteur du « Père Duchêsne ».

Un freluquet...

Les documents de l'époque proclament, souvent de manière humoristique, la Sainte Égalité.

La Sainte Égalité

Les autorités de la Commune de Paris, avec à leur tête le maire Pache, le procureur Chaumette et le substitut Hébert, exercent tout leur pouvoir sur Paris et la France. Forts de l'appui des sans-culottes, ils pèsent de tout leur poids sur la Convention. Les sections ont des piques, des canons et des troupes. Les héros de la Bastille, du 10 août 1792, des 31 mai et 2 juin 1793 paraissent invincibles. Ils tiennent sous leur menace le Comité de salut public comme ils ont tenu en respect tous les autres gouvernements. Ils se moquent de l'allure des représentants du peuple en mission * que la Convention envoie pour surveiller les généraux ou la province. Le costume chargé de soie des représentants du peuple leur paraît trop espagnol. Même un mannequin fagoté comme un représentant en mission serait ridicule à leurs yeux. Le 7 octobre 1793, ils applaudissent quand le conventionnel Rühl brise la Sainte Ampoule * qui servait au sacre des rois. Ils rient de voir briser ce « hochet sacré des sots ». Ils dansent autour des vêtements de la garde-robe du roi qui brûlent sur la place de Grève. Ils démolissent les tombeaux de Saint-Denis où gisent les rois. Momoro, un de leurs chefs qui combat en Vendée, écrit une lettre pour demander qu'on écrive sur tous les édifices : « liberté, égalité, fraternité, ou la mort ». Les graveurs et les peintres grimpent sur tous les édifices publics et les ornent de la devise républicaine. Partout les toits de la France se couvrent d'un bonnet de la liberté.

Portrait d'un sans-culotte

Le sans-culotte est un homme de la ville qui sait que sa vie dépend de l'approvisionnement que fournit la campagne. Il craint la disette et le problème du pain le hante. Il exige que le pain soit toujours maintenu à trois sous la livre. Cet homme va toujours à pied, loge au quatrième ou au cinquième étage. Il ne fréquente ni le café des riches, ni les théâtres distingués. Il ne porte ni bottes ni bijoux et ne se parfume pas. Peste soit du superflu et des riches ! Seul est patriote celui qui travaille de ses mains et porte de pauvres habits. Il faut abolir la distinction entre riches et pauvres. Que tous mangent une seule espèce de pain, « le pain de l'égalité » ! Il s'indigne que les pauvres qui vont chez le boucher ne ramènent que des os et des restes. Que celui qui a deux plats en donne un à

Une carmagnole

Les petits «Carmagnols» étaient des laquais venus de la ville de Carmagnole en Piémont (Italie). Puis le nom s'appliqua à tout citoyen prêt à mourir pour la liberté. La carmagnole était aussi une danse et une chanson patriotique. Faire notre révolution en chantant est un moyen presque sûr de l'empêcher de «finir par des chansons», disait-on.

celui qui n'en a point! La femme du sans-culotte dit à la dame riche: «tu as un beau déshabillé, patience, si tu en as deux tu m'en donneras un». Contre les messieurs avec bottes et parfum, il est toujours sur le pied de guerre. Il arbore un bonnet rouge au bout d'un bâton ou sur la tête et marche avec un grand sabre au côté. Il s'arme de la sainte pique et pousse la Convention à prendre le décret du 23 août 1793 sur la «levée en masse*». Il est prêt à fondre sur l'ennemi de la République, et dit aux dames de se préparer à faire bouillir de l'huile contre les ennemis de la patrie. Il danse et chante la «Carmagnole» et, s'il le faut, il est même prêt à la faire danser aux ours d'Allemagne.

Guerre aux accapareurs

La sécheresse de l'été 1793 est si forte que les moulins ne tournent plus. Les meules ne fabriquent plus de farine. Les arrivages à Paris s'élèvent à 400 sacs alors qu'il en faut 1 500 pour nourrir la ville. Tout est porté à un prix excessif, même les légumes. Les sans-culottes crient qu'il faut fixer un prix maximum à toutes les denrées. Qu'on double, qu'on triple l'armée révolutionnaire pour établir puis renforcer le maximum*! Pas de pitié pour le marchand de carottes ou le gros négociant! Gare au marchand de choux qui fait payer un chou vingt sols! Les négociants veulent vendre le pain au poids de l'or, disent les sans-culottes. Tous les sans-culottes lisent le *Journal du Père Duchêsne* écrit par Hébert. La pipe au bec et ses moustaches en bataille, le «Père Duchêsne» dit des gros mots et parle de dépouiller les riches. Les sans-culottes et Hébert crient que tout est la faute des marchands, ces assassins du peuple qui entassent les blés dans les greniers. Les marchands refusent de vendre leurs biens contre des assignats, car ils n'ont

aucune confiance dans ces billets. Les amis d'Hébert réclament la peine de mort contre les accapareurs, ces commerçants qui possèdent des produits et ne veulent pas les vendre. La loi du maximum général est votée le 29 septembre 1793. Les prix ne pourront pas dépasser un prix fixé par les autorités. Un des chefs sans-culottes, Jacques Roux, de la section des Gravilliers, ancien prêtre, déclare que c'est pour être heureux qu'ils ont fait la Révolution et non pour tirer la langue. Qu'on vende les domaines nationaux en petites portions! Qu'on fasse pousser des vignes dans les jardins anglais et des pommes de terre sur les parterres de gazon! Le peuple ne veut pas mourir de faim.

juillet **1793**
juillet **1794**

La Révolution culturelle

Les hommes de la Révolution veulent abolir le passé et faire table rase. Tout pour eux est à reconstruire pour que surgisse l'homme des temps nouveaux.

Le mètre de Borda

Ce mètre noir et blanc est l'un des plus vieux que nous possédons. Borda fut l'un des membres de l'Académie royale des Sciences, qui proposa, le 17 mars 1791, de prendre pour unité fondamentale de mesure la dix millionième partie du quart du méridien terrestre, à qui l'on donna le nom de mètre. La mise en vigueur du système métrique était prévue pour le 1er juillet 1794, mais elle fut souvent reculée.

Le calendrier révolutionnaire

Les révolutionnaires veulent faire table rase du passé. Pour eux, l'histoire commence avec la Révolution. Ils pensent que les hommes vont enfin abandonner les idées de l'enfance pour devenir adultes et veulent qu'un bouleversement gigantesque fasse disparaître le vieux style du calendrier. Il est fini le temps de l'esclavage. L'ère chrétienne doit mourir pour que triomphe l'ère française qui ouvre l'ère de la vérité. Le 20 septembre 1793, le député Romme présente à la Convention un nouveau calendrier. Les temps nouveaux, dit-il, ont commencé avec la proclamation de la République le 22 septembre 1792 au moment où l'été s'achevait et où l'automne débutait. La République est née un jour d'équinoxe, époque de l'année où les jours et les nuits sont égaux. Ce jour-là, la révolution de la terre rencontra la révolution des hommes et l'égalité des jours et des nuits dans le ciel donna rendez-vous à l'égalité sur terre. Pour célébrer à jamais cette conjonction entre l'astronomie et l'histoire, l'année républicaine commencera à minuit, à l'équinoxe d'automne. Paris deviendra le chef-lieu du globe et la France, la mère patrie de l'égalité.

Nouveaux mois, nouveaux jours, nouvelles heures

Romme et Fabre d'Églantine se mettent au travail pour établir un nouveau calendrier. L'année est divisée en 12 mois et 5 jours, un jour en 10 heures et une heure en dixièmes. Une heure de la nouvelle division du temps vaut 2 heures 24 minutes de l'ancienne et la semaine dure 10 jours. Pour les noms des mois, on invente des mots nouveaux : ventôse, mois du vent, thermidor, mois des chaleurs, floréal, mois des fleurs... Les noms des jours de la semaine suivent le principe de l'ordre des chiffres : primidi, duodi, tridi. Le dixième jour s'appelle le décadi et il remplace le dimanche. Les saisons et les travaux des champs doivent rythmer la vie des hommes. Les noms des saints et des fêtes religieuses sont remplacés par des noms d'animaux, des outils, des légumes. Noël devient la fête du chien ; la fête de la Saint Vierge est remplacée par le jour de la Poule. Le jour des Saints-Anges, on célébrera le fumier. Malheur aux sots qui fêteront le dimanche et négligeront le saint décadi ! Malheur aux imbéciles qui veulent danser le dimanche et aller au marché le samedi !

Nouveaux poids et mesures

Dans la France d'Ancien Régime, les poids et les mesures n'avaient aucune cohérence. Mesurer et peser donnaient aux seigneurs un pouvoir aussi redoutable que le pouvoir de la justice. Qui est maître des poids et mesures, peut s'assurer une domination contraignante sur le peuple. Pour que les caprices des hommes ne soient plus la mesure des choses, il faut trouver une

Poids de 1 kg à 1 g

Pour les poids, pour les mesures de longueur et de capacité, les savants révolutionnaires adoptèrent le système décimal.

Cardil

Cette carafe en verre d'un décimètre cube exécutée par Fourché en l'an II, porte le nom de Cardil. Le cardil est le premier nom du litre. Ce fut le premier étalon du litre.

de l'an II

référence naturelle, simple et universelle. Le 17 mars 1791, cinq savants, Borda, Lagrange, Laplace, Monge et Condorcet, proposent de prendre pour unité de mesure la dix-millionième partie du quart du méridien terrestre. Cette mesure s'appellera le mètre. Deux astronomes mesurent l'arc de méridien compris entre Dunkerque et Barcelone. Malgré la guerre et les frayeurs des gens qui les voient faire d'étranges calculs, ils parviennent à établir un premier étalon du mètre. Les savants auront à supporter bien des attaques et leur travail sera ralenti quand toutes les Académies seront supprimées le 8 août 1793. Ce n'est que le 10 décembre 1799, que le mètre, le gramme et toutes les mesures modernes seront définitivement adoptés. Un jour, le monde entier comptera avec le système décimal des poids et mesures sorti de la tête des savants de la Révolution.

Nouveaux noms et nouveaux prénoms

Avec le triomphe des sans-culottes, le tutoiement devient obligatoire. Tous les hommes sont des citoyens, quel que soit leur rang. « Salut et fraternité, citoyen général ! » « Mort aux tyrans, citoyen représentant ! » écrit-on dans les lettres. Les sans-culottes veulent retourner la nation : on dirait qu'ils veulent que le dernier rang de la société soit le premier. Les héros modernes sont les héros de la pauvreté. Parfois ils se livrent aux pires désordres et à l'anarchie. Le gouvernement de la France et le Comité de salut public semblent approuver et encourager ces méthodes. La France se « sans-culottise ». Les villes rebelles à la Convention montagnarde sont débaptisées. Toulon s'appellera « Port-la-Montagne », Marseille « Ville-sans-nom » et Lyon « Ville affranchie ». Aucun nom de village ne doit rappeler le souvenir de la tyrannie. Saint-Germain-en-Laye devient Montagne du Bon-air. Les rues Sainte-Catherine ou Saint-Michel reçoivent des noms à la mode : « rue J'adore l'égalité » ou « rue de l'Arbre chéri ». Les garçons et les filles changent de nom. Jean-François s'appelle Tiberius et ses amis Gracchus ou Brutus.

MOI LIBRE

L'esclavage

L'article 1 de la *Déclaration des droits de l'homme et du citoyen* de 1789 dit : « Les hommes naissent et demeurent libres et égaux en droit. » Malgré les efforts de la société des « Amis des Noirs », l'esclavage ne sera aboli que le 4 février 1794 dans les colonies françaises. Le 20 mai 1802, le premier consul Napoléon Bonaparte rétablit l'esclavage et la traite des Noirs dans toutes les colonies françaises.

La nouvelle religion

La morale civique et républicaine doit servir de nouvelle religion, pensent les sans-culottes. Le culte de Marat et des autres martyrs révolutionnaires assassinés par les aristocrates remplace le culte des saints et des anges. La nature et l'histoire formeront la nouvelle religion. Saint-Just, représentant en mission* à l'armée du Rhin en octobre - novembre 1793, ordonne la destruction des saints qui ornent la cathédrale de Strasbourg. À Lyon, le représentant en mission Fouché fait démolir tous les signes et emblèmes de la religion. Dans les cimetières, il donne ordre de faire dresser une statue du sommeil où il sera inscrit : « La mort est un repos éternel ». Que nul n'espère en une résurrection ! Le 20 brumaire an II (10 novembre 1793), la fête de la Raison dans la cathédrale Notre-Dame de Paris donne le signal officiel de la déchristianisation*. La France ne veut plus être la « fille aînée » de l'Église catholique. Dans le chœur de Notre-Dame transformé en scène lyrique, un ballet de l'opéra donne un spectacle. On glorifie les vertus de la nature et de la République. Une belle et tendre femme joue le personnage de la déesse Raison, déesse des hommes modernes. Dans les tribunes, des vieillards et des femmes enceintes figurent les âges de la vie. Sur le fronton de la cathédrale on lit : « À la philosophie ». Notre-Dame de Paris devient le grand temple de la Raison et sur un panneau accroché sur le tympan, il est écrit : « Temple de la Raison ». Sur la cathédrale de Chartes, on peint en lettres ornées : « Ne fais point à un autre ce que tu ne veux pas qu'il te soit fait ». Plus loin, une autre inscription s'adresse aux prêtres : « Votre rôle est fini, charlatans ». En France, 2 346 églises deviennent des temples de la raison à la grande joie du « Père Duchêsne ». Partout on saisit l'argenterie, les reliques, les croix, les calices. Avec les vêtements des prêtres, les sans-culottes font des mascarades, jouent des scènes grossières, et se défoulent comme aux grands jours de Carnaval. Robespierre déplore les abus de l'hébertisme* et comprend qu'il est indigne d'envoyer à la Monnaie* les objets de la piété populaire enfermés dans des tonneaux.

Nouvelles libertés

Le 20 septembre 1792, l'Église catholique est dépouillée de son droit millénaire d'enregistrer et de constater les naissances, les mariages et les décès. Désormais, tout se fera devant Monsieur le Maire ou ses adjoints. Le même jour, on autorise le divorce. Il n'y aura que des mariages heureux ! Ceux qui le voudront pourront défaire les liens du mariage qui jusqu'alors étaient indissolubles. Les femmes ne seront plus soumises à leurs maris. Il faut briser toutes les chaînes qui entravent la liberté, il faut aussi délivrer les esclaves des colonies françaises. Oui, Français, disent les plus décidés à libérer les noirs, le sucre que vous mangez est teinté du sang des esclaves. Le 4 février 1794, la République française est le premier État au monde qui abolit l'esclavage.

Robespierre et la dictature

Plus le temps passe et plus le gouvernement de la République se concentre dans les mains de quelques hommes. Le Comité de salut public assure presque toute la conduite des affaires. Parmi les neuf conventionnels du Comité, Robespierre exerce le premier rôle. La Terreur est à l'ordre du jour. La loi des suspects du 17 septembre 1793 ouvre la porte à toutes les tyrannies.

Un comité révolutionnaire

Par la loi du 21 mars 1793, il se forma dans les sections des grandes villes, des comités révolutionnaires. Les membres des comités révolutionnaires recevaient une indemnité journalière. Ces comités de douze membres surveillaient les étrangers, examinaient les papiers militaires, arrêtaient les personnes trouvées sans cocarde et délivraient des «cartes civiques». À partir du 17 septembre 1793, les comités révolutionnaires pouvaient dresser la liste des suspects et délivrer des mandats d'arrêt.

Le grand Comité de salut public

Plus les dangers contre la République s'accumulent et plus le Comité de salut public concentre les trois pouvoirs: le pouvoir exécutif, le pouvoir législatif et le pouvoir judiciaire. La Constitution est enfermée dans une Arche sainte comme les Tables de la loi. Elle est oubliée et le gouvernement ne gouverne que par «la force des choses». Le 27 juillet 1793, Robespierre entre au Comité de salut public. Avec ses fidèles amis, Couthon et Saint-Just, il prend une part de plus en plus grande dans la marche du gouvernement. Cet avocat d'Arras, âgé de 36 ans, travaille depuis toujours à faire triompher la raison. Il est loin de partager les idées des sans-culottes, mais il veut assurer le triomphe de la République. Pendant un an, de juillet 1793 à juillet 1794, il prononce 144 discours à la tribune de la Convention. Tous ses discours sont préparés avec un soin extrême. Il rature souvent ses pages écrites d'une écriture fine. Sa passion est de dire toute la vérité. Même s'il n'est pas le plus ancien membre du Comité de salut public, la force de ses paroles paraît si grande que tous se taisent devant lui. Il dirige avec autorité les délibérations. Tout ce qu'il dit semble une parole sacrée et tout ce qu'il dénonce paraît un blâme. Cet homme qui aime passionnément la République pénètre dans la Convention au milieu du plus profond silence. Sa seule arme est la parole; mais elle frappe comme la foudre.

Le tribunal révolutionnaire

Le 30 août 1793, le peuple réclame vengeance contre les accapareurs qui provoquent la disette. Aux Jacobins, un cri s'élève: «la terreur est à l'ordre du jour». Depuis le 10 mars 1793, le tribunal révolutionnaire fonctionnait d'une manière ferme. Chaque mois, il condamnait une dizaine de personnes à mort à l'échafaud. La marche de la justice paraissait trop lente aux sans-culottes. À quoi bon respecter le droit des gens puisque les aristocrates ne respectent rien? Le 17 septembre 1793, la loi des suspects est votée. Mais qu'est-ce qu'un suspect? Est-ce celui qui a les cheveux poudrés? Malheur à celui qui ferme sa boutique le dimanche ou ne tutoie pas son voisin. Gare à celui qui dit Monsieur au lieu de citoyen ou qui va à la messe d'un prêtre réfractaire. Tout citoyen peut devenir suspect. Le Comité de sûreté générale* et les sociétés populaires désignent les suspects. La justice ne prend plus le temps de discerner les innocents des coupables. Pour ne pas être considéré comme suspect, il faut recevoir un certificat de civisme* délivré par les sociétés populaires. On prend garde de plaire à la société populaire ou à la section du quartier. Les sans-culottes enragés ne parlent que de «foutre» la danse aux aristocrates. Ils inventent de drôles d'expressions pour dire guillotiner: «Siffler la linotte», «être sur le pot», «visiter la petite croisée nationale», «jouer à la main chaude», «monter dans la voiture à Charlot*». Ils réclament une guillotine ambulante à tous les coins de rue pour frapper tous les «endormeurs» du peuple. Les suspects comparaissent devant Fouquier-Tinville, accusateur public du tribunal révolutionnaire. Quarante-sept ans, grand et robuste, avec des

JUGEMENT
RENDU
PAR LE TRIBUNAL CRIMINEL
REVOLUTIONNAIRE,
ÉTABLI A PARIS PAR LA LOI DU 10 MARS 1793,

Jugement du tribunal

Le tribunal criminel révolutionnaire fut féroce, mais il acquitta environ un tiers des prévenus.

sourcils épais et un regard profond, une voix haute et impérieuse, nul ne résiste à la lueur sombre de son regard. Avec son chapeau ombragé de plumes noires, il prend la parole pour demander des peines fatales. Pendant les séances du tribunal, il écrit sans cesse, sur deux gros cartons qui lui servent de pupitre. Il est tout yeux et tout oreilles. Quand les condamnations à mort sont prononcées par le tribunal révolutionnaire, il fixe le nombre de charrettes de condamnés à mort que le bourreau emmène, puis s'en va dîner à la buvette du tribunal.

Terreur dans l'Ouest

La République livre un combat sans merci contre les armées étrangères et contre les armées rebelles de la Vendée. La République déclare que ceux qui ont pris les armes dans les départements de l'Ouest ne peuvent prétendre aux droits des gens. Ils sont des brigands qui ont voulu abattre la mère patrie. Sur les affiches de Paris, on lit que les armées républicaines rapporteront « des chapelets et des oreilles de prêtres salées ». En Vendée, les armées catholiques et royales reconnaissent Louis XVII pour légitime souverain. Cet enfant est en prison et ils espèrent un jour le délivrer. Quand on interroge les Vendéens, ils font semblant d'être sots. Ils disent qu'ils n'ont point d'esprit et

demandent qu'on leur explique ce qu'est une République. Après avoir remporté des victoires, les Vendéens reculent ou vont chercher du renfort en Normandie. Quand les meilleurs soldats des régiments français d'Allemagne arrivent en Vendée, le sort des armes change de camp. Les bleus de la République avancent au son du tambour en chantant la « Carmagnole ». Ils disent : « on ne meurt qu'une fois et au bout du fossé, la culbute* ».

Noyades de Nantes

Carrier fit noyer les prêtres en les plaçant dans des bateaux qu'on faisait couler au milieu de la Loire. Dénoncé pour ses crimes, il fut condamné à mort.

Les blancs, les Vendéens, chantent un cantique en latin qu'ils ont appris à la messe : « Vexilla regis prodeunt* ». Le combat est inégal. Les Républicains expérimentent des bombes inflammables qui mettent le feu aux genêts. Des boulets enflammés sèment des gouttes de feu qui détruisent les fermes et les champs. Après la bataille de Savenay, le 23 décembre 1793, le général Westerman annonce à la Convention : « Il n'y a plus de Vendée ». Par milliers, des prisonniers vendéens prennent le chemin de Nantes. Depuis le 1er octobre 1793 (22 vendémiaire an II), Carrier, représentant du peuple, tient Nantes dans ses mains. La guillotine ensanglantée exécute les Vendéens enfermés dans l'entrepôt des cafés. Les prisonniers, couverts de vermine, entassés dans les cachots et atteints du typhus, frappent d'épouvante la ville apeurée. Carrier enferme ces malheureux dans des bateaux de fortune et les précipite dans la Loire. Les noyades de Nantes sont annoncées à la Convention avec un ton de triomphe : « La nuit dernière, ils ont tous été engloutis dans cette rivière. Quel torrent révolutionnaire que la Loire ! »

La Révolution est glacée

Le Comité de salut public devient impopulaire parce que la guerre civile et étrangère rend la vie de plus en plus difficile. Deux groupes se développent pour combattre le Comité de salut public : les Hébertistes et les Dantonistes. Les Hébertistes attaquent le gouvernement avec les sans-culottes et les Dantonistes essaient de changer le gouvernement de l'intérieur de la Convention. Ces deux tentatives échouent et Robespierre envoie à la mort les meilleurs défenseurs de la Révolution. La « Révolution est glacée », déclare Saint-Just.

La guillotine dressée à Nantes

Ce document date du 20 mars 1794 et constitue une sorte de manuel d'instruction de la guillotine.
« Pour éviter que la trancherie (lame) ne s'ébrèche, il faut avoir soin de ne laisser tomber le mouton (cadre de bois) de toute sa hauteur que pour l'exécution. Il faut aussi avoir l'attention, avant l'exécution, de décrocher la corde du mouton, pour qu'il soit entièrement libre dans sa chute...
Il faudrait encore obvier à ce qu'on ne pût voir sur le pavé, au-dessous de l'échafaud, une grande quantité de sang, spectacle affligeant pour les âmes sensibles et dont il est bon peut-être de détourner les yeux du peuple. »

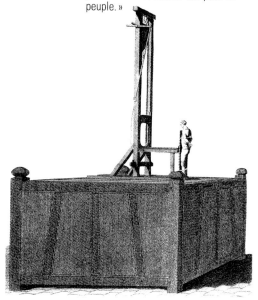

La mort d'Hébert

Le Comité de salut public supporte mal d'être à la merci du mouvement sans-culotte. Les enragés, les Cordeliers, Hébert et son « Père Duchêsne », le poussent à des extrêmités sanglantes qu'il désapprouve en silence. Le contrôle économique n'entre pas dans les vues profondes des Montagnards. Ils désavouent dans leur cœur le maximum général des prix et des salaires. Lindet, le plus âgé des membres du grand Comité de salut public, sait bien qu'on a besoin des banquiers pour une bonne économie. Les noyades de Nantes ont produit le pire des effets. Carrier est rappelé et, plus tard, on le fera périr pour ses atrocités. Le 23 ventôse an II (13 mars 1794), en pleine nuit, le Comité ordonne l'arrestation d'Hébert et de ses amis. Robespierre appelle les Hébertistes des comploteurs et déclare que, s'ils ne périssent pas, les armées françaises seront battues et la République déchirée en lambeaux. Le Comité de salut public et le Comité de sûreté générale* voient des complots partout. On dit de ceux qui agissent dans l'ombre de manière réelle ou supposée qu'ils forment des factions*. Le 4 germinal an II (24 mars 1794), le « Père Duchêsne » est conduit

Danton à l'échafaud

Le 5 avril 1794, Danton et ses amis furent conduits à l'échafaud. Il fut exécuté le dernier et embrassa tous ses amis qui, à tour de rôle, présentèrent leur tête au bourreau.

à la guillotine. Par un gai et beau soleil de mars, Hébert à son tour monte dans la « voiture à Charlot ». Le président du tribunal révolutionnaire ne l'a pas laissé se défendre. On invente une fable sur sa femme Jacqueline en faisant croire qu'elle avait 10 000 francs de dentelle. Maintenant que Hébert est mort, sera-t-il aisé de distinguer un patriote ? Dans ces jours de malheur, on lit sur les murs : « Crève la République ! Vive Louis XVII ! »

La mort de Danton

Quelques jours après Hébert et ses amis, vient le tour de Danton et de ses compagnons. Le 11 germinal an II (31 mars 1794), à l'aube, Danton le lutteur révolutionnaire est arrêté. Il n'a pas voulu fuir et n'a pas écouté Lindet qui lui a conseillé de se mettre à l'abri. A quoi bon fuir Paris et la révolution qu'il a tant servi. Le 13 germinal, Danton paraît au tribunal révolutionnaire et écoute l'accusateur public exposer les motifs de son arrestation. On accuse Danton, lui le meneur des Cordeliers, l'ami des sans-culottes, d'avoir conspiré pour rétablir la monarchie. Danton n'était pas un saint homme et il eut bien des faiblesses, mais l'accusation ne peut apporter la preuve de son complot. Rien de ce qu'on lui reprochait n'est appuyé par des pièces à conviction. La foule qui entend cet homme à la voix grave et forte, plein de verve et de force, applaudit à sa défense. La parole est son royaume. Il fascine et domine l'accusateur public et les juges. Alors, pour l'empêcher de parler, le président du tribunal lui dit : « tu es fatigué, Danton, cède la parole à un autre ». Pour ne plus entendre sa voix qui émeut et charme le public, la Convention décide de le mettre hors des débats. Cela signifie qu'on le jugera en dehors de sa présence et sans qu'il puisse se défendre. Le 16 germinal (5 avril 1794), la silhouette colossale de Danton se détache sur l'échafaud. Desmoulins le journaliste, Fabre d'Églantine le poète, Hérault de Séchelles le doux rêveur, tous amis de Danton, périssent avec lui. Une charrette emporte le cadavre vers le cimetière des Errancis. Après la mort de Danton, l'ère des procès était close, l'ère des massacres commençait.

Le culte de l'Être suprême

Le dimanche de la Pentecôte de 1794, le décadi du 20 prairial an II, une fête imposante est organisée par la Convention. La fête est réglée par un peintre de génie, David, qui distribue au peuple des programmes pour comprendre la cérémonie. A 8 heures du matin, le canon sonne le signal du rassemblement et les sections se rendent au jardin des Tuileries. Voici les femmes avec leurs bouquets de roses et leurs corbeilles de fleurs. Les hommes, l'épée ceinte sur le côté, tiennent des branches de paix. Devant la tribune où prend place la Convention, une immense statue représente

l'athéisme*. Vers une heure de l'après-midi, Robespierre, président de la Convention, en habit bleu, tenant dans la main des fleurs et une gerbe de blé, prononce un discours en faveur de l'Être suprême. Tout le peuple présent chante une mélodie pleine de majesté :

« Père de l'Univers, suprême intelligence

Bienfaiteur ignoré des aveugles mortels... »

Quand l'hymne est chanté, Robespierre s'avance une torche à la main et brûle la statue de l'athéisme*. Alors on voit surgir au milieu des débris calcinés, la statue de la sagesse. Dans toutes les grandes villes, une religion nouvelle se

développe : le culte de l'Être suprême. Partout on offre des fleurs à l'Eternel et les jeunes filles jurent de n'épouser que des défenseurs de la Patrie. Mais cette religion nouvelle sera bien éphémère, car les jours de Robespierre sont comptés.

Fête de l'Être suprême

Robespierre ne pouvait accepter les bouffonneries antireligieuses des sans-culottes. Il ne voulait pas non plus revenir à la religion catholique, trop engagée contre la Révolution. Pour la Pentecôte de l'an 1794, on fit une fête de l'Être suprême (Dieu) et de la Nature. Partout, en France, des fêtes de l'Être suprême eurent lieu.

VUE DE LA MONTAGNE ELEVÉE AU CHAMP DE LA REUNION

Le 9 thermidor an II

Avec la loi du 22 prairial an II (10 juin 1794), le temps des massacres commence. La victoire de Fleurus libère la France de la crainte de l'invasion. La Convention ne supporte plus la dictature du Comité de salut public. Une conspiration se trame à la Convention pour abattre Robespierre. Celui-ci est guillotiné le 10 thermidor an II (28 juillet 1794). Sa mort marque la défaite de la Montagne et des Jacobins. Avec la mort de Robespierre, la Révolution prend le chemin du reflux.

La mort de Robespierre

Le 9 thermidor, Robespierre et 21 de ses amis furent arrêtés. Robespierre, blessé, refusa de signer l'ordre qui aurait donné le signal de l'insurrection de la Commune de Paris. Le lendemain, il sera guillotiné.

Arrestation de Cécile Renault

Cette jeune fille, presque analphabète, fut trouvée en possession de deux petits canifs près de la maison du menuisier Duplay, là où habitait Robespierre. Rêvait-elle d'imiter Charlotte Corday?

La loi du 22 prairial an II

Les détenus remplissent les prisons par milliers. Dans les prisons parisiennes, les prisonniers s'organisent. Ils circulent librement d'une cellule à l'autre et vivent en commun. Leurs amis et leurs serviteurs entrent et sortent à leur guise pour le blanchissage du linge. Les gardiens, de pauvres ivrognes très corrompus, ne surveillent que bien imparfaitement les 7 800 détenus accusés de conspiration. Et s'il y avait une révolte des prisons? Il faudrait, dit Couthon, « exterminer les coupables ou périr avec la République ». La peur s'empare du Comité de salut public. Le 1er prairial (20 mai 1794), un homme, armé de deux pistolets, cherche Robespierre pour l'abattre. Trois jours après, une pauvre fille de vingt ans, avec deux petits couteaux, rêve sans doute de réserver à Robespierre le sort que Charlotte Corday fit subir à Marat. Des rapports de police notent que les sans-culottes disent: « Robespierre est un foutu gueux, un foutu coquin ». La guillotine tue sans répit. On déplace la machine de mort de la place de la Révolution à la place de la Bastille, puis à la barrière du trône. Les longs cortèges de condamnés à mort défilent sur des charrettes dans la rue Saint-Antoine. On s'émeut de pitié et la lassitude gagne les plus endurcis. Le sang est un spectacle qui indigne et ébranle les nerfs. Le spectacle de la mort en public finit par donner à la foule des hoquets d'écœurement. 50 têtes par jour, des têtes, surtout de sans-culottes, tombent dans le panier à Samson *. Le 7 prairial an II (26 mai 1794) Robespierre craint les conspirations et annonce aux Jacobins sa mort prochaine: « Si nous battons les ennemis, ... nous serons assassinés ». Alors pour échapper à la peur, aux complots, le Comité de salut public adopte la loi du 22 prairial an II (10 juin 1794). Cette loi est une loi de massacre. Les accusés n'ont plus de défenseurs, on ne les interroge plus, il n'y a plus de témoins, plus de jurés. Les jugements sont rendus d'après une étude des papiers, sans voir les accusés. Et il y a une seule forme de verdict: l'innocence ou la mort. En prairial, le tribunal révolutionnaire prononce 509 condamnations à mort. Messidor an II (19 juin - 18 juillet 1794) est le mois le plus sanglant de la justice révolutionnaire. Il y a 796 condamnations à mort et bien peu de prisonniers sont acquittés. Il est temps que les massacres cessent.

La victoire de Fleurus

En ce temps de grande terreur, l'armée nouvelle de la République achève de se forger. Pendant l'hiver et le printemps de 1793, les neuf membres du Comité de salut public recherchent des chefs de talent. Ils créent l'unité de l'armée par l'amalgame *. Dans le second semestre de 1793, les vieux régiments de l'armée et les jeunes régiments de la garde nationale se mêlent pour ne former qu'une seule armée républicaine. La guerre révolutionnaire met au point une nouvelle stratégie grâce aux nombreux régiments que lui a fournis la levée en masse du 23 août 1793. Les armées françaises aux bataillons nombreux forcent le front des armées ennemies. Si la position centrale tient bon, d'autres bataillons les tournent et les enfoncent. Allons soldats, la victoire sourit aux armées légères, rapides et souples. Le 26 juin 1794, le Comité de salut public et les soldats de la France trouvent la récompense de leurs efforts. À Fleurus, ils enfoncent les Autrichiens et s'ouvrent les portes de la Belgique. En Catalogne, en Navarre,

en Italie, les armées françaises franchissent les frontières. Pendant vingt ans, plus un soldat étranger n'entrera sur le territoire national.

La conjuration du 9 thermidor

Depuis des semaines, on ne voit plus Robespierre au gouvernement de la République. On ne l'entend plus lire aux Tuileries, avec ses lunettes d'écaille, ses discours à l'écriture fine. Le 18 floréal an II (7 mai 1794), il a fait adopter le décret de l'immortalité de l'âme. Non, Fouché, la mort n'est pas un sommeil éternel. L'homme doit croire en Dieu, en l'Être suprême, créateur de l'Univers. Robespierre est appelé « l'Incorruptible ». Incorruptible s'applique aux hommes qui ne se laissent pas corrompre pour de l'argent. Mais les Conventionnels ont appris dans les collèges religieux que seul Dieu est incorruptible. Dieu est le début et la fin des choses. Les ennemis de Robespierre laissent croire qu'il est devenu un tyran qui veut être adoré comme un dieu nouveau et obéi comme un empereur romain. Robespierre sent qu'un complot se trame contre lui. Il

dit que des fripons, des scélérats, des assassins l'attendent sur la route du crime. Mais il y a trop de sang qui coule déjà. S'il fallait continuer le système de la Terreur, la France irait à l'abîme. Il est temps d'abattre Robespierre avant qu'il ne nous abatte, disent les membres de la Convention. Nos armées sont victorieuses. L'instant est propice. Le 9 thermidor an II (27 juillet 1794). Robespierre demande la parole à la Convention. Pendant la nuit, des députés se sont mis d'accord pour l'empêcher de parler. Quand il veut parler, ils crient et agitent leurs chapeaux. Ils hurlent « à bas le tyran! » « Je demande la parole », insiste Robespierre, et tous répondent « non! non! ». Robespierre se tourne vers les députés de la Convention. Il les implore des yeux, mais tous détournent leurs regards. Tous l'abandonnent. Il s'épuise en efforts, puis sa voix s'éteint. Il est privé de la parole, sa seule arme. La Convention décrète son arrestation et va lui appliquer les lois qu'il avait fait adopter. Son frère, Saint-Just, Couthon demandent à partager les poignards qui vont frapper Robespierre.

Mais que fait la Commune de Paris ?

Robespierre a beaucoup d'amis à la Commune de Paris. Les sans-culottes et les Jacobins l'ont toujours aimé et soutenu. Mais Robespierre, respectueux des lois, ne veut pas donner le signal de l'insurrection à son fidèle Hanriot, le maître de l'artillerie des sans-culottes. La nuit du 9 au 10 thermidor, Robespierre est assis dans un fauteuil à l'Hôtel de ville de Paris. Devant lui, il y a un texte qui appelle les faubourgs à l'insurrection pour abattre les scélérats de la Convention. Robespierre hésite à signer, quand les gendarmes font irruption pour l'arrêter. Un jeune gendarme de dix-neuf ans tire sur lui et le blesse à la mâchoire. Robespierre s'affaisse et tache de son sang le papier qu'il n'a pas voulu signer. Le lendemain, Robespierre et tous ses amis sont conduits à l'échafaud et périssent guillotinés. La Convention, en tuant Robespierre, a vaincu la Commune de Paris. Les sans-culottes qui avaient envahi la vie nationale vont s'apercevoir rapidement que leur temps de gloire est passé.

La réaction thermidorienne

La période qui suit l'exécution de Robespierre et de ses amis s'appelle la « réaction thermidorienne ». La conjuration des Thermidoriens était à la fois tournée contre Robespierre et contre le mouvement des sans-culottes. Désormais, pendant une année, les hommes nouveaux de la Convention vont penser surtout à la paix, car ils savent bien que les guerres civiles et étrangères conduisirent à la Grande Terreur. Une chasse aux Jacobins et aux meneurs sans-culottes commence.

« À bas les bonnes rouges »

Ce document exceptionnel est un dessin d'enfant, anonyme. Il faut remarquer la faute d'orthographe et lire « à bas les bonnets rouges ». Les bonnets rouges sont les sans-culottes.

La misère

Robespierre, les Montagnards et les Jacobins avaient gouverné par la terreur judiciaire et économique. Les assassins de Robespierre abandonnent ce système de gouvernement et reviennent à une conception de liberté et de laisser-faire. Depuis des mois, l'économie française vivait sous le contrôle de la loi du maximum et d'une stricte surveillance. Progressivement, la vie économique n'est plus dirigée par l'État et les prix flambent. Les villages de France sont épouvantables. Les habitants vont pieds nus. Le peuple des villes et des villages s'impose de rudes privations. De pauvres paysans labourent avec un âne et une vache. Ils boivent parfois une bière aigre et un pitoyable vin de pays. Tout est hors de prix et les denrées sont rares. Pour survivre, le charcutier vend des rubans et la coiffeuse du fromage. La disette menace les villes et la France.

La défaite des sans-culottes

Tous les hommes qui avaient lutté dans les comités révolutionnaires, qui avaient animé les assemblées des sections *, dirigé les quartiers, tous les meneurs sans-culottes sont poursuivis. Malheur à vous, adorateurs de Marat et des Montagnards, disent les Thermidoriens ! Vous êtes tous des camarades du crime, les amis des tigres du tribunal révolutionnaire. Les assemblées générales des sections n'auront lieu que tous les dix jours et il n'y aura plus de comités révolutionnaires. Qu'on en finisse avec le club de Jacobins ! Le 22 brumaire an II (12 novembre 1794), le club est fermé par ordre de la Convention. L'immeuble des Jacobins servira de marché public. À force d'entendre crier contre les patriotes de l'an II, les modérés, les royalistes relèvent la tête. Les meneurs sans-culottes les remplacent dans les prisons. À leur tour, dans les prisons, ils écrivent des lettres. Un ouvrier joaillier écrit pour sa défense : « la Révolution m'a trouvé debout comme tous les hommes sans égoïsme ». « Qu'a-t-on fait pour le peuple depuis la mort de Robespierre ? » demandent les sans-culottes : rien. Dans les faubourgs, on entend dire : « quand le sang coulait, le pain était bon marché, à présent qu'il ne coule plus, tout est hors de prix ». Puisque la misère est à son comble, le tocsin sonne et les colonnes des faubourgs se mettent sur le pied de guerre. Le 1er prairial an III (20 mai 1795), les troupes des faubourgs envahissent la Convention, coupent la tête au Conventionnel Ferraud et la déposent sur la table du président. Les Thermidoriens attendaient une telle circonstance pour frapper encore plus fort les sans-culottes. Les troupes de la Convention désarment, emprisonnent, exécutent les militants des faubourgs. 36 meneurs sont condamnés à mort et les autres n'ont plus d'armes. L'an III marque la fin des sans-culottes.

Fermeture du club des Jacobins

La Convention ordonna la fermeture du club des Jacobins. Les Jacobins avaient tant fait pour la Révolution que la disparition du club marque un vrai tournant dans la Révolution. Le club des Jacobins fut transformé en marché public.

La Terreur blanche

Dans la France entière, les meneurs de l'an II vont devenir des victimes. Les royalistes ne se cachent plus et font faire régner une « Terreur blanche », tout aussi sanguinaire que la Terreur de l'an II. Ils savent qu'à Paris le vent a tourné. Les aristocrates quittent les prisons et les Jacobins les remplacent. Alors les égorgeurs royalistes entrent en action. En Provence, avec une veste bleue aux épaulettes de laine rouge, ils forment des bandes d'assassins. Ils massacrent les Jacobins dans les prisons, ils tirent sur eux dans les cafés, dans la rue ou sur leurs fenêtres. Les meurtriers guettent leur proie le long des routes et des fleuves, puis pendent les cadavres des Jacobins aux cyprès qui signalent l'entrée de leurs fermes. Les tueurs sont impunis et quand ils se sentent menacés, ils se terrent dans la montagne, paradis des déserteurs et des bandits.

La paix en Vendée

En Vendée, le général républicain Turreau, à la tête de troupes appelées colonnes infernales, sillonnait la région en détruisant tout. Aucun Vendéen, même ceux qui venaient à la rencontre des troupes républicaines ceints de leurs écharpes tricolores, n'inspirait la pitié. Le pays se mourait et les paysans ne voulaient qu'une chose : qu'on écoute leurs plaintes et qu'on exauce leurs vœux. La Convention thermidorienne décide de rétablir le culte catholique en Vendée, de ne pas faire payer d'impôts et de dispenser les Vendéens de service militaire. Avec ces bonnes mesures, tout paraît s'apaiser et les chefs vendéens signent en février 1795, la paix avec la République. Presque tous les chefs vendéens reçoivent de beaux cadeaux et de grosses sommes d'argent pour se tenir tranquilles. La Vendée semble revivre et se met à panser ses horribles blessures.

Les traités de Paix

Les quatorze armées de la République poursuivent leurs offensives victorieuses depuis Fleurus. Le terrible hiver de 1795 facilite les entreprises de nos soldats. Comme au temps des invasions barbares, le Rhin gelé permet aux armées de franchir facilement cet obstacle naturel. Les Français envahissent la Hollande. Les navires de guerre hollandais, pris par les glaces comme des canards en hiver, ne peuvent gagner la mer du Nord. En janvier 1795, le général Pichegru se saisit de cette proie facile. Toutes les victoires françaises, la force et le nombre de leurs bataillons, conduisent le roi de Prusse Frédéric-Guillaume II à vouloir abandonner la guerre contre la France. En ce temps, la Pologne est un royaume

Pacification en Vendée

que les puissances centrales de l'Europe sont en train de dépecer. La Prusse craint de ne pas avoir sa part. Dans la nuit du 4 au 5 avril 1795, les ministres français et prussiens signent un traité d'amitié entre la nation prussienne et la nation française. Puis les mois suivants, la France signe la paix avec la Hollande et l'Espagne. À chaque traité, la France obtient des avantages en territoires et elle oublie qu'aux premiers temps de la Révolution elle offrait la paix au monde.

Les audaces royalistes

Quand les émigrés qui guerroyaient dans les armées étrangères apprirent la mort du roi Louis XVI, ils reconnurent son fils Louis XVII comme roi de France. L'enfant mourra en juin 1795, mais le titre de roi de France ne disparaît pas. Le 24 juin 1795, il est repris par un frère cadet de Louis XVI qui se proclame Louis XVIII. Les Français comprennent que la monarchie n'est pas morte et que la Révolution n'a pas encore assuré définitivement sa victoire. Les royalistes de l'intérieur reprennent espoir et s'enhardissent. La chasse aux Jacobins dans le Sud-Est de la France leur a montré qu'ils étaient

redevenus forts et populaires. Beaucoup de Vendéens croient que la paix a été signée avec eux parce que la monarchie va être rétablie. Les Anglais aident les émigrés de Londres à mettre sur pied une armée royaliste pour débarquer en Bretagne. Le 27 juin 1795, les émigrés débarquent à Quiberon. Le « régiment d'Hector », « le Royal Louis », « le Royal fusiliers » arrivent à s'accrocher dans le fort de Penthièvre. Mais le 21 juillet 1795, le général Hoche cerne le fort et exécute 748 rebelles à la République. Pendant longtemps, dans les sables de Quiberon, on trouvera des plaques aux fleurs de lys ou surmontées de la couronne royale d'Angleterre. À Paris, les royalistes, nullement découragés par l'échec de Quiberon, mettent leurs troupes en action. Ils veulent se rendre maîtres du gouvernement. Alors les canons de Murat et les troupes du général Bonaparte sont appelés à la rescousse. Le 13 vendémiaire an IV (5 octobre 1795), les généraux républicains balayent les émeutiers. Pour la première fois, à Paris, les soldats triomphent d'un combat de rue. Le général Bonaparte devient le général chéri des nouveaux maîtres de la France.

Le Directoire

La Convention thermidorienne a combattu férocement les Robespierristes et les sans-culottes. Pour éviter le retour de l'an II, les Conventionnels font voter par le peuple une nouvelle constitution en l'an III. Mais à peine la constitution est-elle votée qu'elle est violée par ceux-là même qui l'ont écrite. Pendant quatre ans, la France cherche à sortir de la Révolution sans revenir à l'Ancien Régime. Pendant quatre ans, la République française vit une période appelée « Directoire ».

La place de l'Apport, à Paris

Pendant le Directoire, il n'y eut plus aucun contrôle économique et les marchés furent florissants. Mais les prix flambèrent et seuls les riches eurent la vie facile.

Les filouteries du Directoire

Les Conventionnels préparent une nouvelle constitution qui est adoptée en août 1795 par un million de « oui ». La nouvelle constitution de l'an III, proclamée le 23 septembre 1795, supprime le suffrage universel et rétablit le suffrage censitaire*. Les auteurs de la nouvelle constitution déclarent qu'ils veulent « un pays gouverné par les propriétaires ». Ils briment les plus humbles et encouragent les plus riches. Bien des Français s'apprêtent à voter pour les royalistes. Alors, pour être certains de conserver le pouvoir, les Conventionnels décident que les deux tiers d'entre eux resteront en place. Les élections sont faussées puisqu'un tiers seulement des sièges est soumis à élection. Les deux chambres qui auront le pouvoir de faire des lois, le Conseil des Cinq-Cents* et le Conseil des Anciens*, sont peuplées par avance d'anciens Conventionnels. Dès son installation, le 2 novembre 1795, le Directoire a recours à des filouteries. Il filoute la composition des Conseils, il filoute la désignation des cinq Directeurs ou chefs du gouvernement et il a même filouté certaines élections départementales. Ce régime vit dans la peur d'un monstre à deux têtes. Il craint le retour de la monarchie et le retour des Jacobins. Si le roi Louis XVIII revenait, il demanderait des comptes à ceux qui ont voté la mort de son frère et à ceux qui ont acheté des biens nationaux. Si les Robespierristes et les sans-culottes revenaient au pouvoir, ils rétabliraient le suffrage universel et la Sainte Égalité. Ils repoussent les uns et les autres à l'image des Français. L'intérêt et la peur les obligent à se tenir sur la corde raide.

La liberté des cultes

Le 3 ventôse an III (27 février 1795), la liberté des cultes est rétablie. La République française ne salarie aucun clergé. Les prêtres de chaque religion vivront des aides privées. Au mois d'août 1795, la séparation des Églises et de l'État entre dans les faits. La cathédrale de Paris est rendue à l'Église constitutionnelle*. Mais il est toujours interdit de faire sonner les cloches. Le « bourdon »* de Notre-Dame de Paris, au timbre grave, reste silencieux. Au milieu des décombres, des dépôts de vins et des amoncellements de plaques de marbres qui s'entassent dans les chapelles, des curés disent la messe. Le 25 décembre 1795, les femmes se présentent devant les églises parce qu'un bruit a couru que les messes de Noël reprendraient. Dans certaines églises retirées, des femmes chantent des cantiques pour la première fois depuis bien des années.

La liberté des mœurs

Depuis longtemps, des jeunes gens fortunés ou crapuleux préfèrent lutter contre les sans-culottes plutôt que d'aller mourir sur les terrains de guerre de l'Europe. Ils se dissimulent pour échapper aux réquisitions militaires et se terrent dans les villes bouleversées par les événements. Paris est une ville étrange. Beaucoup de gens ont perdu leurs amis et leurs parents. Certains ont émigré, d'autres sont morts ou disparus. Des milliers de maris et de fils combattent dans les armées. Paris a beaucoup changé depuis la prise de la Bastille. Un peuple nouveau semble avoir surgi des provinces ou de l'étranger. Chacun vient et va comme des promeneurs de foire. 3 000 cuisiniers, 800 cafés publics illuminés par de belles girandoles* de cristal, des lieux de

plaisir font de Paris une ville lumière où la débauche se donne libre cours. Les gens fortunés reparaissent avec le Directoire. Des hommes et des femmes excentriques, parés comme aux beaux jours de carnaval, déambulent dans les rues des beaux quartiers. On les appelle Incroyables et Merveilleuses. Ils font exprès de zozoter et disent «sien et sat» (chien et chat). Ils décident de ne plus prononcer la lettre r parce que c'est la première lettre de République et de Révolution. Avec leurs bâtons noueux, ils font la «gue--e aux te--o-istes» (la guerre aux terroristes). Leur chiffre préféré est le 17 ou le 18 comme Louis XVII ou Louis XVIII. Ils étalent leur luxe: deux chaînes pour une montre, des cravates doublées et volumineuses, des souliers pointus. Ils ont des oreilles à la diable et se laissent pousser les cheveux jusqu'à s'en faire de fausses moustaches. Les Merveilleuses se dévergondent sans retenue. Sous des robes de mousseline, elles laissent deviner la nudité de leur corps et ornent leurs pieds nus d'un diamant à chaque doigt.

Les affairistes se réjouissent

Le Directoire est au bord de la banqueroute. Les assignats finissent de perdre leur faible valeur. Mais la guerre continue et il faut fournir tout le nécessaire aux armées de la République. Le Directoire est incapable de payer les fournisseurs de l'armée d'Italie. Alors sans le dire aux généraux, il permet aux compagnies des fournisseurs de recevoir toutes les prises faites en Italie et leur promet une prime de 2 à 5% des sommes encaissées. Les généraux s'indignent de voir cette foule de corbeaux qui suivent les armées. Mais il est plus difficile de vaincre ces «vautours» que les armées ennemies. La Compagnie Flachat, qui approvisionne l'armée française d'Italie, reçoit 350 000 francs en espèces sonnantes et trébuchantes provenant des contributions de guerre. Ils achètent à l'État des bijoux à un prix estimé cinq fois moins que leur valeur et créent des compagnies qui raflent tous les biens nationaux qui restent à vendre. Quand un général menace de dénoncer ces affairistes malhonnêtes, ils répondent: «fai-

Les Incroyables et les Merveilleuses

Les Incroyables étaient des jeunes gens riches et oisifs qui, après le 9 thermidor, n'hésitèrent plus à étaler leur richesse et leur morgue. Les Merveilleuses sont des femmes du demi-monde ou de la meilleure société qui détestent la Révolution. Elles sont clientes du magasin «À la Provence et l'Italie» où elles achètent des produits de beauté et de l'eau de pigeon qui donne la jeunesse éternelle.

tes ce que vous voulez, nous nous en foutons». Ils se sentent impunis parce qu'ils graissent la patte des ministres, des commissaires aux armées et des Directeurs. «Des fortunes colossales naissent comme des champignons», écrit un almanach.

Une œuvre profonde d'éducation et de création scientifique, commencée sous la Convention, se poursuit sous le Directoire. La République des Directeurs ne parvient pas à éloigner la double menace royaliste et jacobine. La France poursuit la guerre contre l'Autriche (jusqu'en 1797) et contre l'Angleterre. Les généraux jouent un rôle de plus en plus important. Devant l'instabilité gouvernementale et les menaces d'un retour de l'Ancien Régime, les Français acceptent de confier le pouvoir à Napoléon Bonaparte. Le 18 brumaire an VIII (9 novembre 1799), le coup d'État du général Bonaparte met un terme à dix années de Révolution.

Une image populaire

Cette image d'Épinal fut répandue à des milliers d'exemplaires. Le général Bonaparte grâce à ses succès militaires devint l'enfant chéri de la victoire et de la gloire.

Charette
(1763-1796)

Charette fut un officier qui mit son talent au service de la Vendée et combattit la Révolution. Lui et ses hommes connaissaient parfaitement le marais nantais. Pour traquer ces coureurs des bois, les Républicains firent venir des soldats des Pyrénées, redoutables coureurs. Ils suivirent à la trace, de fossé en fossé, de bois en bois, le général Charette. Un jour, ils remarquèrent l'empreinte de son talon. Ils suivirent sa piste et l'arrêtèrent. Charette fut fusillé sous les huées, à Nantes, le 29 mars 1796.

L'œuvre d'éducation de la Révolution

Les révolutionnaires, fils du siècle des Lumières, savent que le savoir est la mère du pouvoir. Danton avait dit : « Dans une république, nul n'est libre d'être ignorant. » La Convention avait déclaré la guerre à l'ignorance et avait eu le projet de favoriser l'éducation des petits enfants. Mais les guerres obligèrent à remettre à plus tard ces intentions généreuses. La grande réussite scolaire de la Révolution réside dans la création des Écoles centrales, d'un niveau intermédiaire entre les écoles primaires et l'enseignement supérieur. Il y a une École centrale par département et cinq à Paris. Chaque École centrale reçoit de bons bâtiments, un laboratoire, un jardin botanique et des collections scientifiques. Pour la première fois, les sciences occupent une place aussi importante que les disciplines littéraires et les bibliothèques des Écoles centrales sont ouvertes au public. Pour l'enseignement supérieur, l'Institut national des sciences et des arts est créé le 22 août 1795. Les savants sont groupés en trois classes.

Ils travaillent sur les embryons *, la structure des Alpes, les cristaux, les os des dinosaures. La science française brille d'un éclat inégalé. Le 9 janvier 1795, s'ouvrent, au Museum national d'histoire naturelle, les cours de l'École normale supérieure. Lakanal, l'un des fondateurs de cette école, déclare : « ce ne sont pas les sciences qu'on enseignera, mais l'art de les enseigner » car la Révolution a besoin d'hommes capables d'instruire les enfants. Un mois avant l'École normale supérieure, la Convention crée une école centrale des travaux publics qui prend le nom d'École polytechnique. La première promotion * compte 400 élèves de treize à vingt ans où figureront de grands savants. Allons, jeunes gens à talents, préparez l'École normale supérieure, l'École polytechnique, l'École des arts et métiers ! Travaillez bien et la République vous offrira une place en regard de vos mérites ! Vous écrirez vos savants articles dans les « Annales de chimie et de physique » !

Le passé et l'avenir

La fureur des foules brisa bien des sculptures sur les porches des cathédrales. Les statues couronnées et les fleurs de lys furent les premières victimes de la Révolution. Des palais furent volés, pillés, détruits. Pourtant les révolutionnaires ne sont pas seulement des destructeurs, mais aussi des conservateurs. La Révolution veut à la fois raser le passé et conserver le passé. Avec la création des Archives nationales, les révolutionnaires décident que les archives appartiennent à la nation. La nation est comme une famille qui garde ses vieux papiers et les met à la disposition de tous. Il n'y a plus de secret d'État et plus d'administration privée de l'État. Les ministres n'emportent plus les documents de leur administration, mais les versent dans des dépôts d'archives. La révolution ouvre à tous les œuvres d'art que seuls les initiés et les riches pouvaient connaître. Le 10 août 1793 est ouverte la Grande Galerie du Louvre et la France offre au monde l'exemple d'une nouvelle conception du Musée. Les machines, les automates de Vaucanson *, les pierres et les sculptures des vieux monuments, tout sera conservé et offert au public dans de nombreux

Directoire

Bonaparte en Égypte

Le général Bonaparte fut tout à la fois un militaire, un homme politique et un savant. Il fut élu membre de l'Institut (le 25 décembre 1797) et fut l'ami des plus grands savants et des professeurs de l'École polytechnique. Sa folle expédition d'Égypte (mai 1798-août 1799) fut la plus grande expérience scientifique du XVIIIᵉ siècle. 198 savants et artistes appartenant aux spécialités les plus diverses s'embarquèrent avec Bonaparte. Vingt jours après la prise du Caire (2 août 1798), Bonaparte fonda l'Institut d'Égypte. Il s'inscrivit dans la section de Mathématiques.

musées. Au mois de septembre 1798, se tient au Champ-de-Mars à Paris, la première exposition publique des produits de l'industrie française. On y admire des horloges à longitude, des balances précises, des livres superbes, des rasoirs en acier, des tableaux en porcelaine, des poêles en fonte, et de magnifiques crayons de couleurs créés par Conté. La France croit à son avenir industriel et veut fair pâlir de jalousie les ateliers anglais.

Encore la guerre et l'expédition d'Égypte

En 1796, la France est encore en guerre contre l'Autriche et l'Angleterre. Le général Augereau, l'homme du Directoire, fut envoyé à Strasbourg commander les armées réunies du Rhin. Mais les bonnes troupes furent données au général Bonaparte en reconnaissance des services rendus le 13 vendémiaire an IV. Il conduit son armée en Italie et ce génie de la guerre fait tant de prouesses qu'il contraint l'Autriche à signer la paix de Campo-Formio le 18 octobre 1797. Le général Bonaparte devient l'enfant chéri de la victoire et impose au Directoire des solutions que celui-ci n'envisageait point. Bonaparte est à l'image de son temps. Il aime passionnément les sciences. Rien ne l'honore plus que d'être élu le 25 décembre 1797, membre de l'Institut dans la section des arts mécaniques. Quel destin ! Un seul homme est à la fois général en chef et distingué

savant. Pour abattre l'Angleterre qui reste seule en guerre contre la France, il décide de partir pour l'Égypte. Avant l'expédition, il écrit : « nous aurons avec nous un tiers de l'Institut ». Le 19 mai 1798, les meilleurs vaisseaux et les meilleures troupes quittent Toulon pour la conquête de l'Égypte. A bord de navires, il y a trois professeurs et 39 élèves de l'École polytechnique. Un benjamin de quinze ans et un vieil astronome, brillants sujets, s'embarquent pour la plus grande aventure scientifique du XVIIIᵉ siècle. Bonaparte remporte d'éclatantes victoires contre les Turcs. La France des savants crée au Caire une imprimerie, un laboratoire de chimie, un cabinet de physique, un observatoire. L'Institut français du Caire est né et Bonaparte s'inscrit dans la section mathématique. Un officier du génie, Bouchard, trouve en 1799, la pierre de Rosette qui servira à déchiffrer les hiéroglyphes. Malgré tant de victoires scientifiques, les Anglais remportent le 1ᵉʳ août 1798, la bataille navale d'Aboukir. Bonaparte, victorieux sur les sables, est vaincu sur les flots. Les rares nouvelles qui lui parviennent là-bas, si loin de la France, lui annoncent que des événements se préparent.

Les coups d'État et la fin du Directoire

Au début de leur installation, les Directeurs frappent sur les royalistes et les Jacobins. Les simples gens n'ont

plus le droit de voter, de se réunir, de former des clubs. Il leur reste le complot et la conjuration. Babœuf, un Picard, farouche défenseur des droits du peuple, rêve d'égalité. Il forme en secret un comité insurrectionnel qui a pour programme le bonheur du peuple. Mais sa conspiration est déjouée, il est arrêté et condamné à mort. Avant de mourir, il dit à ses juges : « Nous sommes les derniers des Français, nous sommes les derniers des énergiques républicains ». Sa mort, le 27 mai 1797, met un point final au mouvement égalitaire des sans-culottes. Mais le Directoire doit aussi se garder sur sa droite. Chaque fois que les élections sont favorables aux royalistes, il refuse le verdict des électeurs et casse les élections. Ces coups d'État permanents affaiblissent le régime qui cherche en vain une stabilité. Le 23 août 1799, le général Bonaparte quitte l'Égypte et abandonne son armée sans en avoir reçu l'ordre. Ce général déserteur est accueilli en triomphateur. Pour lui, dans les Conseils, dans l'armée, dans les milieux d'affaire, on s'apprête à faire un coup d'État qui stabiliserait le régime. Les 18-19 brumaire an VIII (9-10 novembre 1799), le général Bonaparte envahit la salle des Cinq-Cents. Cet homme couvert de boutons et que les hussards ont du mal à reconnaître, deviendra pour quinze ans le nouveau maître de la France. La France entre dans une nouvelle période de son histoire.

La Révolution française

Les clés de la Bastille, un symbole.

L'affiche du film de Wajda.

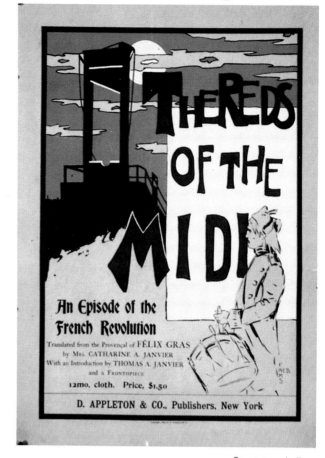

Couverture de livre.

Le tour du monde de la Marseillaise

Dès sa naissance, la Révolution française bouleversa les consciences. Nul prince, nul sage retiré dans une masure silencieuse ne put rester indifférent à l'événement. L'onde de choc de la Révolution passa à travers les murs les plus épais et se répandit si loin qu'on en sentit les effets au bout de la Terre. Sur l'échelle des tremblements de l'Histoire, la Révolution française est un des moments de grande magnitude. Lisez les manuels d'histoire du monde, et vous y découvrirez que la Révolution française ne concerne pas seulement l'histoire de la France, mais l'histoire des hommes. Parcourez les livres étrangers, et vous y découvrirez les rêves et l'espérance qu'elle souleva. Un jour en Amérique du Sud, vous verrez tel inconnu se lever et vous demander « chantez-moi la Marseillaise ». Vous entendrez dans des films des révolutionnaires italiens chanter « Allonsenfan ».

Sur les gradins du Stadio Communale de Turin, quand Platini charmait de ses exploits les spectateurs, retentissaient quelques strophes ailées de la Marseillaise. À Tokyo, à Pékin, à Moscou, à Washington, à Melbourne, les professeurs font revivre pour leurs étudiants les souvenirs électriques de la *Déclaration des droits de l'homme et du citoyen* ou de la mort du roi Louis XVI.

Un nouveau point de repère

La Révolution française dépasse la France comme l'enseignement du Christ dépasse Jérusalem. Jusqu'en 1789, les hommes avaient des points de repère pour se situer dans l'espace, mais ils n'en avaient point pour situer leur opinion. Depuis, dans le monde entier, on dit « la gauche » et « la droite » pour définir une opinion politique. Être assis à gauche ou à droite de l'Assemblée nationale constituante, c'était être pour ou contre la Révolu-

tion. La Révolution française fut un laboratoire. Elle démontra la première qu'une vieille monarchie pouvait très bien vivre en République. La première, elle fit la plus vaste expérience du système électif. L'idée du suffrage universel s'expérimenta en France à partir de 1792. Que chaque individu détienne une part égale de pouvoir, quelles que soient sa richesse et sa culture, est encore une idée neuve sur notre terre. Les libertés de la presse, de réunion, de circulation furent développées à un degré inouï. Les Révolutionnaires rêvaient d'une démocratie de villages et de province. Le prêtre, le juge, les officier de la garde nationale, tous devaient être élus, c'est-à-dire aimés. Ils voulaient que la nature soit notre mesure et c'est pourquoi la Révolution française assura le triomphe des savants. Ils mesurèrent l'arc d'un méridien terrestre, examinèrent les entrailles des montagnes, propagèrent le télégraphe et accélérèrent la conquête des airs. C'est pendant la

et l'Histoire

Les nouvelles mesures.

Allégorie des droits de l'homme.

Révolution française que le rêve de Léonard de Vinci de voir un homme sauter en parachute se réalisa. Les unités de mesure, de poids, de volume, les plus répandues dans le monde sont des unités révolutionnaires.

La Révolution française et la mort

Que les colonnes infernales aient dévasté la Vendée, que Fouché ait proclamé «Lyon n'est plus», que les bourreaux aient rempli les paniers de la guillotine, nul ne doit l'ignorer. Mais il faut rappeler que la guillotine fut établie au nom de l'humanité. Pour la première fois dans l'histoire de France, la société civile ne s'acharnait plus sur les prisonniers. Elle tuait sans torturer. La Révolution française fut aussi le seul moment où un régime jugea lui-même les «tigres» qui commirent les atrocités. Carrier fut jugé et condamné à mort. Rares sont les moments où les hommes demandent pardon au peuple des crimes qu'ils ont commis.

Une dignité nouvelle pour les humiliés

Les Révolutionnaires eurent la passion de l'égalité. Quand la famille royale fut enfermée au Temple, un des responsables de la Commune de Paris, marchait au côté de la reine Marie-Antoinette. La reine de France s'indignait qu'on ne respectât pas la déférence qu'elle croyait attendre de ses sujets, même en prison. Le garde lui fit cette réponse : «dans le règne de l'égalité, souffrez que je marche à vos côtés». Désormais, il n'y a plus, d'après la loi, de domestique, de sujet, de privilégié. Il n'y a plus que des êtres humains égaux en droits. Trop longtemps le sucre eut le goût du sang des esclaves. Les Révolutionnaires proclament qu'aucun homme ne peut se vendre, ni être vendu : «couleur n'est rien, le cœur est tout ; n'es-tu pas mon frère ?»

Les anticipations

Tout ce qu'entreprit la Révolution fut à la fois éphémère et durable. On supprima la République, elle revivra. On rétablit l'esclavage, il périra. Elle annonça, comme un Évangile, qu'un jour viendrait où triompheraient le suffrage universel, les droits des enfants, la protection sociale, le droit du sol. Que d'Américains, de Hollandais, d'Anglais, d'Espagnols, de Suisses devinrent Français. On ne leur demandait que de vivre en France pour devenir Français. Elle rêva de faire des hommes des citoyens du monde et ce rêve hante la mémoire de l'humanité. Une des clés de la Bastille fut envoyée à George Washington et elle figure encore dans sa maison de Mount Vernon, non loin de sa tombe. Depuis deux siècles, les hommes épris de liberté savent que les océans ne peuvent les séparer. Pour longtemps encore, la conscience des hommes sera habitée du souvenir et du message de la Révolution française.

Chronologie

L'Ancien Régime

1746-1780 : publication de *l'Encyclopédie*.

1774 (12 mai) : enterrement du roi Louis XV.

1774-1776 : Turgot ministre.

1775 (11 juin) : sacre du roi Louis XVI.

1775 : guerre des farines.

1776 (4 juillet) : Déclaration d'indépendance des colonies américaines.

1776 : Benjamin Franklin vient chercher de l'aide en France.

1777 : *le Journal de Paris* est le premier quotidien français.

1781 : Victoire franco-américaine à Yorktown.

1783 : Lavoisier découvre que l'eau est un composé de gaz.

1785 : le ministre Calonne autorise l'importation des machines à filer d'Angleterre.

1785 : maquettes de *l'Encyclopédie* pour le duc d'Orléans.

1786 : Traité franco-anglais sur le commerce.

1787 : Louis XVI autorise les Protestants à avoir un état civil.

1788 (7 juin) : l'armée tire sur le peuple à Grenoble.

1788 : le ministre Necker, ami des réformateurs, revient au gouvernement.

1789 (24 janvier) : règlements électoraux des Etats généraux.

1789 (février) : l'abbé Sieyès publie *Qu'est-ce que le Tiers État ?*

1789 (printemps) : rédaction des cahiers de doléances.

1789 (5 mai) : ouverture des Éats généraux.

13 juin : trois curés du Poitou, députés du clergé, rejoignent les députés du Tiers État.

La Révolution

1789

17 juin : l'Assemblée du Tiers État se proclame Assemblée nationale : La Révolution commence.

20 juin : le serment du Jeu de Paume.

23 juin : déclaration royale de Louis XVI qui proteste contre les décisions de l'Assemblée nationale.

27 juin : Réunion totale des trois ordres.

Assemblée nationale constituante (9 juil. 1789-30 sept. 1791)

9 juillet : l'Assemblée nationale se proclame **constituante** : elle va faire de nouvelles lois.

11 juillet : renvoi de Necker.

12 juillet : les troupes royales prennent position. Paris s'alarme. Charge des dragons.

12-13 juillet : la nuit, les barrières douanières de Paris flambent.

13 juillet : le peuple de Paris se procure des armes.

14 juillet : prise de la Bastille.

17 juillet : Louis XVI se rend à Paris et se coiffe de la cocarde tricolore.

22 juillet : la Grande Peur de la Sainte Madeleine.

Début août : naissance du « club breton », futur club des Jacobins.

4 août : la nuit du 4 août, les députés de l'Assemblée nationale constituante, mettent à mal le régime féodal.

26 août : *Déclaration des droits de l'homme et du citoyen.*

5 octobre : marche du peuple et des dames de la Halle de Paris sur Versailles.

6 octobre : le roi et sa famille sont ramenés à Paris. Paris redevient la capitale politique de la France.

2 novembre : mise à la disposition de la nation des biens du clergé.

1er décembre : le docteur Guillotin propose sa machine à l'Assemblée nationale.

19 décembre : création des assignats.

24 décembre : les non-catholiques sont admis à tous emplois.

1790

19 janvier : serment de la jeunesse bretonne de « Vivre libres ou mourir ».

28 janvier : les Juifs obtiennent le droit de cité.

4 février : le roi se rend à l'Assemblée nationale constituante.

14 février : grand'messe chantée à Notre-Dame pour marquer l'alliance du roi et de la nation.

26 février : l'Assemblée nationale constituante divise la France en 83 départements.

16 mars : suppression des lettres de cachet.

31 mars : suppression de la gabelle.

8 mai : l'Assemblée décide la création de mesures nouvelles.

16 mai : fête de la fédération du département de la Côte d'Or.

19 juin : abolition de la noblesse en France.

12 juillet : Constitution civile du clergé.

14 juillet : fête de la Fédération à Paris.

21 octobre : le drapeau bleu-blanc-rouge devient le drapeau français.

27 novembre : l'Assemblée nationale exige de tous les prêtres un serment de fidélité à la nation et à la loi.

5 décembre : Robespierre invente la formule « Liberté-Égalité-Fraternité ».

1791

11 mars : le pape condamne les réformes religieuses faites en France.

17 mars : cinq savants proposent de prendre le mètre pour nouvelle unité de mesure.

18 avril : le roi et sa famille sont empêchés d'aller passer les fêtes de Pâques à Saint-Cloud.

20 avril : déclaration au roi de Bohême et de Hongrie. La France est en guerre contre l'empereur d'Autriche.

24 avril : premières élections des curés des nouvelles paroisses.

14-17 juin : loi Le Chapelier interdisant les corporations et les syndicats.

21 juin : fuite du roi Louis XVI et arrestation du roi à Varennes.

25 juin : retour du roi à Paris.

17 juillet : massacre d'une foule de manifestants sur le Champ-de-Mars par la garde nationale.

18 juillet : le club des Jacobins éclate. Les plus modérés des membres fondent le club des Feuillants.

27 août : le roi de Prusse et l'empereur

d'Autriche font une déclaration à Pillnitz pour dire l'intérêt qu'ils prennent au sort du roi et de sa famille.

14 septembre : le roi prête serment de fidélité à la Constitution achevée.

14 septembre : les citoyens d'Avignon et du Comtat obtiennent de devenir Français.

27 septembre : les Juifs obtiennent la citoyenneté française.

30 septembre : dernière séance de l'Assemblée nationale constituante.

Assemblée nationale législative (1er octobre 1791-10 août 1792)

1er octobre : installation de la nouvelle assemblée qui prend le nom d'« Assemblée nationale législative ».

29 novembre : décret contre les prêtres réfractaires qui refusent le serment de fidélité à la Constitution.

1792

3 mars : massacre du maire d'Etampes Simoneau par des paysans.

15 avril : fête en l'honneur des soldats suisses condamnés aux galères par leurs généraux.

25 avril : Rouget de Lisle compose la « Marseillaise » à Strasbourg.

20 juin : le roi se coiffe du bonnet rouge.

11 juillet : « la Patrie est déclarée en danger. »

10 août : prise du château des Tuileries. Le roi est suspendu de ses fonctions.

11 août : de nouvelles élections commencent.

13 août : le roi et sa famille sont enfermés au Temple.

19 août : les troupes étrangères franchissent les frontières de l'Est.

2 au 5 septembre : massacres des prêtres et des prisonniers à Paris.

20 septembre : victoire des armées françaises à Valmy sur les Prussiens.

20 septembre : institution du divorce. L'état civil ne sera plus tenu par l'Église. Les mairies en sont chargées.

21 septembre : fin de l'Assemblée législative.

La République et la Convention (1782-1799)
La Convention girondine

21 septembre : première séance de la Convention nationale. Proclamation de la République française.

22 septembre 1792 : l'an I de la République.

24 octobre : les armées françaises envahissent la Belgique.

Octobre 1792 : première mention connue de « Marianne », future figure de la République.

6 novembre : victoire française à Jemmapes.

13 novembre : Saint-Just demande la mort de Louis XVI.

20 novembre : Gamain révèle au ministre Roland la cache de l'armoire de fer.

21 novembre : les Français annexent la Savoie.

1793

21 janvier : exécution de Louis XVI à 10 heures 22 minutes sur la place de la Révolution.

24 février : levée des 300 000 hommes.

25 février : pillage des épiceries par le peuple de Paris.

9 mars : le soulèvement massif des paysans vendéens commence.

10 mars : institution du tribunal révolutionnaire.

18 mars : défaite française à Neerwinden.

21 mars : création des comités révolutionnaires.

25 mars : la Russie et l'Angleterre se lient contre la France.

3 avril : le général français Dumouriez trahit et passe dans le camp autrichien.

6 avril : établissement d'un Comité de salut public.

24 avril : acquittement de Marat par le tribunal révolutionnaire.

25 mai : victoire vendéenne à Fontenay. Cathelineau, général en chef.

31 mai et 2 juin : élimination et arrestation des députés girondins.

La Convention montagnarde (2 juin 1793-27 juillet 1794)

10 juin : partage des biens communaux.

28-29 juin : les Vendéens assiègent Nantes. Cathelineau est blessé à mort.

13 juillet : Charlotte Corday assassine Marat.

17 juillet : abolition définitive et sans indemnité des droits féodaux.

27 juillet : mise en place du grand Comité de salut public (Robespierre fait son entrée au Comité).

8 août : révolte de Lyon contre la Convention montagnarde.

10 août : ouverture de la grande galerie du musée du Louvre.

23 août : levée en masse des citoyens pour défendre la République.

17 septembre : loi des suspects. Tout suspect peut être arrêté sur simple soupçon.

20 septembre : présentation à la Convention du nouveau calendrier.

22 septembre 1793 : l'an II de la République.

29 septembre : loi du maximum des prix et des salaires.

1er octobre : arrivée du représentant en mission Carrier à Nantes.

7 octobre : le député Rühl brise la Sainte Ampoule et application du calendrier républicain.

9 octobre : Lyon qui s'était rebellée est reconquise par les armées républicaines.

10 octobre : « Le gouvernement provisoire de la France est révolutionnaire jusqu'à la paix. »

26 octobre : destruction de belles demeures lyonnaises sur ordre de Couthon.

30 octobre : interdiction de clubs ou sociétés politiques de femmes.

31 octobre : mort de Vergniaud et de ses amis girondins.

10 novembre : fête de la Raison à Notre-Dame de Paris.

23 décembre : à Savenay, victoire des armées républicaines sur les armées vendéennes.

1794

17 janvier : le général Turreau lance ses « colonnes infernales » contre les Vendéens.

4 février : décret qui abolit l'esclavage dans les colonies.

8 février : Carrier est rappelé à Paris. Fin de la grande terreur à Nantes.

6 mars : secours aux citoyens pauvres.

24 mars : Hébert, rédacteur du « Père Duchêsne », est guillotiné.

5 avril : Danton est guillotiné.

7 mai : décret de l'Immortalité de l'âme.

23 mai : Cécile Renault rôde avec des couteaux autour de la demeure de Robespierre.

8 juin : fête de l'Être suprême. Robespierre brûle la statue de l'athéisme.

10 juin : mise en place de la Grande Terreur.

Messidor an II (19 juin-18 juillet) : le mois de la Grande Terreur.

26 juin : victoire des armées françaises à Fleurus. Plus de menace extérieure.

27 juillet (9 thermidor an II) : conspiration contre Robespierre et ses amis.

28 juillet : exécution de Robespierre.

Bibliographie

La Convention thermidorienne (28 juillet 1794-1er novembre 1795)

22 septembre: début de l'an III de la République.

12 novembre: fermeture du club des Jacobins de Paris.

24 décembre: abolition du maximum des prix et des salaires.

1795

9 janvier: premiers cours de la future École normale supérieure.

Février: signature de traités de paix avec les Vendéens.

27 février: la République française ne salarie aucun culte.

1er avril: insurrection à Paris des derniers sans-culottes.

5 avril: paix de Bâle entre la France et la Prusse.

20 mai: nouvelle défaite d'une insurrection des sans-culottes de Paris.

27 juin: débarquement des émigrés à Quiberon.

22 août: création de l'Institut national des sciences et des arts.

22 septembre 1795: début de l'an IV

23 septembre: nouvelle constitution.

5 octobre (13 vendémiaire an IV): échec d'une insurrection royaliste à Paris.

Le Directoire (2 nov. 1795-10 nov. 1799)
1796

19 février: fin des assignats.

29 mars: exécution à Nantes du général vendéen Charette.

15-17 novembre: victoire du général Bonaparte à Arcole.

1797

27 mai: exécution de Gracchus Babœuf, chef de la conjuration des « Égaux ».

18 octobre: paix de Campo-Formio.

1798

19 mai: une armée conduite par Bonaparte part conquérir l'Égypte.

2 août: prise du Caire.

1799

19 août: échec de Bonaparte en Syrie.

23 août: Bonaparte quitte l'Égypte.

9 novembre (18 brumaire an VIII): le général s'empare du pouvoir par un coup d'État. Fin du Directoire et début du Consulat. La Révolution s'achève.

A. Soboul, *Les Sans-Culottes parisiens de l'an II: mouvement populaire et gouvernement révolutionnaire (2 juin 1793, 9 thermidor an II)*, Clavreuil, 2e édition, 1959.

G. Walter, *Actes du Tribunal révolutionnaire*, Paris, Mercure de France, 1968.

P. Goubert, *L'Ancien Régime*, Paris, A. Colin, 1969.

E. Labrousse, P. Léon et autres auteurs, *Histoire économique et sociale de la France (1660-1789)*, T. II, Paris, P.U.F., 1970.

J. Dupâquier, *Histoire de la population française*, 4 vol., Paris, P.U.F., 1987.

M. Garaud et R. Szramkiewicz, *La Révolution française et la famille*, Paris, P.U.F., 1978.

J. Godechot, *La Prise de la Bastille*, Paris, Gallimard, 1965.

F. Furet et D. Richet, *La Révolution française*, 2 vol., Paris, Gallimard, 1973.

F. Furet, *La Révolution française*, Paris, Hachette, 1988.

M. Ozouf, *La Fête révolutionnaire, 1789-1799*, Paris, Gallimard, 1976.

M. Reinhard, *La Chute de la Royauté*, Paris, Gallimard, 1977.

F. Hincker et C. Mazauric, *1789-1799 Histoire de la France contemporaine*, Paris, Éditions sociales, 1978.

J. P. Bertaud, *La Révolution armée*, Paris, R. Laffont, 1979.

R. Mousnier, *Les Institutions de la France sous la monarchie absolue*, T. II, Paris, P.U.F., 1980.

M. Vovelle, *Ville et campagne au XVIIIe siècle: Chartres et la Beauce*, Paris, Éditions sociales, 1980.

G. Maintenant, *Les Jacobins*, coll. « Que sais-je ? », n° 190, Paris, P.U.F.

M. Vovelle, *Théodore Desorgues ou la désorganisation, Aix-Paris, 1763-1808*, Seuil, Paris, 1985.

F. Furet, M. Ozouf, *Dictionnaire de la Révolution française*, Paris, Flammarion, 1988.

L'État de la France sous la Révolution, sous la direction de M. Vovelle, Paris, La Découverte, 1988.

J. Tulard, *Dictionnaire et histoire de la Révolution française*, Paris, R. Laffont, coll. « Bouquins », 1988.

En littérature

P. Choderlos de Laclos, *Les liaisons dangereuses*.

N. Restif de la Bretonne, *Les Nuits révolutionnaires*, et *le Curé patriote*.

L. S. Mercier, *Le Nouveau Paris*, Paris, 1798.

Filmographie

Films réalisés de 1897 à 1930

« Mort de Robespierre, Mort de Marat », 1897, premier film sur la Révolution.

« Napoléon » d'Abel Gance (version muette de 1925-1927 et version sonore de 1935).

Films réalisés de 1930 à 1950

« La Marseillaise », de Jean Renoir, 1938.

« Remontons les Champs-Élysées », de Sacha Guitry, 1939.

« Le Destin fabuleux de Désirée Clary », de Sacha Guitry, 1943.

« Les Chouans », d'Henri Calef, 1946.

« Le Diable boîteux », de Sacha Guitry, 1948.

Films réalisés depuis 1950

« Napoléon », de Sacha Guitry.

« Vive la Nation », de Ch. de Cannonge, 1950.

« Le Dialogue des Carmélites », du R.P. Bruckberger et Agostini, 1960.

« Madame Sans-Gêne », de Christian Jaque, 1961.

« La Terreur et la Vertu », de Stellio Lorenzi, 1964, (Télévision).

« Valmy et la naissance de la République », d'A. Gance et J. Chérasse, 1967.

« Marat-Sade », de Peter Brook, 1967.

« Start the Revolution without me », de Yorkin, 1970.

« Les Mariés de l'An II », de Jean-Claude Rappeneau, 1971.

« 1789 », d'Ariane Mnouchkine, 1974.

« Saint-Just ou la force des choses », de Pierre Cardinal, 1975, (Télévision).

« Babœuf ou le Journal parlé », de V. Norton, 1976, (Télévision).

« La Grande Peur de 1789 », de M. Favart, 1976, (Télévision).

« 1788 », de M. Failevic et J. Dominique de la Rochefoucauld, 1978 (Télévision).

« La nuit de Varennes », d'Ettore Scola, 1982.

« Danton », de Andrzej Wajda, 1983.

Lexique

amalgame : ici mélange des régiments de vieux soldats de la monarchie (les « blancs ») et des volontaires des armées républicaines (les « bleus »)

« amés et féaux sujets » : aimés et fidèles sujets

Ancien Régime : expression nouvelle qui désigne le temps d'avant la Révolution

« anno de la paou » : veut dire l'année de la peur, en Occitan, langue parlée dans le Sud de la France

archers de gabelle : nom des gens d'armes qui surveillaient le commerce du sel

Argonne : région entre la Lorraine et la Champagne

Assemblée législative (octobre 1791-août 1972) : assemblée chargée de faire les lois et qui se réunit après l'Assemblée constituante

athéisme : doctrine qui nie l'existence de Dieu

bailliage : vieille circonscription judiciaire qui servit de cadre aux élections aux États généraux

banalités : taxes que payaient les paysans aux seigneurs pour cuire le pain, moudre le blé, presser le raisin

banqueroute : mot d'origine italienne qui signifie qu'un banquier a fait faillite

barrière : lieu où se percevaient les taxes sur les marchandises qui entraient dans Paris

biens nationaux : biens confisqués au Clergé et aux émigrés et mis à la disposition de la nation

billot : pièce de bois sur laquelle les condamnés à mort posent leur tête

« Bonhomme Richard » : Benjamin Franklin écrivit pour le colportage un almanach appelé « Bonhomme Richard » qui répandait un esprit nouveau de courage et d'audace

bourdon : la grosse cloche de la cathédrale Notre-Dame de Paris

cadastre : documents qui présentent les limites des terres et des parcelles foncières

calotins : mot nouveau apparu à la fin de l'année 1789 pour désigner les mauvais prêtres

Capet : le vrai nom du roi est Louis de Bourbon. Capet était un surnom du premier roi de France en 987 et pas un nom de famille

Catinat : célèbre bandit qui, à la tête de redoutables contrebandiers, menait une guerre incessante sur les frontières de l'Anjou et de la Bretagne

censure : contrôle exercé par l'État sur les arts et les lettres

certificat de civisme : certificat délivré par les comités révolutionnaires et qui servait à prouver qu'on n'était pas un ennemi de la Révolution

citoyens actifs : citoyens qui ont le droit de voter parce qu'ils payent un impôt d'au moins 3 journées de travail

citoyens passifs : citoyens qui n'ont pas le droit de vote

clergé réfractaire : clergé qui refuse la « Constitution civile du clergé » (≠ clergé constitutionnel)

clôturer : entourer de haies les propriétés

colons : nom donné aux Anglais qui partirent s'installer dans les treize colonies anglaises d'Amérique.

« Comité autrichien » : groupe d'hommes politiques influent qui agissent dans l'ombre en faveur du roi et contre la Révolution

Comité de sûreté générale : comité de la Convention chargé de la police

communes : nom provisoire que prit l'assemblée du Tiers État avant de prendre le nom d'Assemblée nationale constituante

Commune : organisation insurrectionnelle mise en place par les révoltés de Paris

Constituants : nom donné aux députés qui siègent à l'Assemblée nationale constituante, nom nouveau des États généraux

Constitution : ensemble de lois qui fixent les pouvoirs d'un État

Constitution civile du clergé : ensemble de lois d'organisation qui règlent les rapports entre l'Église et l'État

constitutionnel (clergé) : clergé qui accepte la Constitution civile du clergé

constitutionnel (souverain) : roi qui gouverne dans les limites de la Constitution

constitutionnelle (Église) : Église qui a accepté la Constitution civile du clergé

Convention : assemblée de députés qui dirigea la France de septembre 1792 à octobre 1795

Conventionnels : nom des députés qui siègent à la Convention

Cook (1728-1779) : capitaine et explorateur anglais qui partit en mission à Tahiti. Louis XVI donna ordre à sa marine, alors en guerre contre l'Angleterre, d'épargner son navire.

corporation : groupement de gens exerçant un même métier

corvées : nombre de journées de travail gratuit que devaient les paysans aux seigneurs

courriers : cavaliers chargés d'apporter les nouvelles urgentes

créanciers : personnes à qui l'on doit le paiement de dettes

cribles : ici, les marques

crocheteur : gens qui portent des fardeaux à l'aide de crochets

culbute : ici, la mort

culottes : espèces de pantalon serré aux genoux que portent les aristocrates

déchristianisation : mouvement de lutte contre la religion catholique

dîme : part des récoltes et des fruits que tout le monde devait verser à l'Église

embryons : premières cellules de la vie

émigrés : ici, les membres de la noblesse qui ont fui à l'étranger

empereur : les rois de la famille Habsbourg, chefs du Saint-Empire romain germanique ont le titre d'empereur. Mais la géographie des « Allemagnes » est très confuse. L'Empire renferme plus de 300 États. Le domaine propre des Habsbourg est constitué · du domaine autrichien.

état civil : registre où sont portés les naissances, les décès et les mariages

Être suprême : nom donné à Dieu créateur de l'Univers. Croyance de Robespierre

Évangile : veut dire « Bonne nouvelle », c'est le nom du Nouveau Testament, deuxième partie de la Bible

faction : nom donné à ceux qui complotent

Fédération : association des Français pour montrer leur volonté d'union et proclamer qu'ils vivent dans un espace national où règne la liberté

féodalité : ensemble des avantages économiques et honorifiques que seuls les nobles pouvaient posséder

Ferme : administration chargée de la perception de l'impôt sur le sel

fermiers généraux : ce sont de riches financiers qui avancent au roi l'argent des impôts indirects (sel) et qui savent se rembourser largement sur le dos des contribuables. Dans leur domaine fiscal, ils sont souverains législateurs

fifre : petit instrument à vent

« Fille aînée de l'Église » : nom donné à la France dans le monde catholique

Flandres : il s'agit des Flandres, terre du Saint Empire romain germanique. Aujourd'hui on dirait la Belgique

forfait : crime

garde nationale : nom donné à la milice bourgeoise de Paris. Les soldats sont des gardes nationaux qui achètent leur uniforme

gens sans aveu : vagabonds

Gilles César : jeu de mot ironique dû à Mirabeau comparant La Fayette à un César de carnaval

girandoles : lumières qui éclairent les boutiques

Girondins : députés de la Convention, partisans de la Révolution, mais qui hésitèrent à s'allier au peuple pour vaincre les aristocrates et l'Europe

hébertisme : doctrine de Hébert, rédacteur du « Père Duchêsne », qui veut détruire la religion catholique

hérauts : personnes de la Cour qui organisent les cérémonies et appellent les personnes à prendre rang

hiéroglyphes : écritures des Égyptiens dans l'Antiquité

Inquisition : tribunal catholique chargé de punir tous ceux qui refusaient de croire à la manière de l'Église

insermentés : prêtres qui ont refusé la Constitution civile du Clergé.

intendant : magistrat que le roi envoie dans les différentes parties du royaume pour y veiller à tout ce qui intéresse l'administration de la justice, de la police et des finances

Jacques : noms que l'on donne traditionnellement aux paysans

jouvenceau : jeune homme

lanterne : nom des réverbères de Paris qui servirent à des pendaisons

légitimer : donner la force de la loi à un acte illégal

levée en masse : décret du 23 août 1793 qui ordonne aux Français de partir combattre les armées étrangères.

liard : monnaie de cuivre égale à un quart de sou

Mai : arbre que l'on plante pour marquer une joie ou rendre un honneur

Manège (salle du) : salle où se réunirent pendant longtemps les députés, qui servait autrefois aux exercices d'équitation

martiale (loi) : loi militaire que l'on applique en cas de menace d'une rébellion

maximum (loi du) : loi réclamée par les sans-culottes pour fixer un maximum au prix des denrées et des marchandises

métayers du bocage : fermiers qui exploitaient les terres des nobles contre un loyer annuel

milliers : mesures de l'ancienne France qui représentaient plusieurs dizaines de kilogrammes

Monnaie : lieu où l'on fabrique les pièces de monnaie d'or et d'argent

Montagnards : députés de la Convention qui siégeaient en haut de l'assemblée, partisans d'une alliance avec le peuple pour assurer la victoire de la Révolution

philosophes : savants, hommes de science et de culture

physiocrates : théoriciens de l'économie qui pensent que la terre est la source de toutes les richesses. Ils veulent un libre commerce des blés

promotion : ensemble des étudiants de la même année

propriété roturière : terres qui appartiennent aux bourgeois et aux paysans

provinces franches : provinces, qui comme la Bretagne, ne paient aucun impôt sur le sel

réfractaire (clergé) : clergé qui refuse la Constitution civile du clergé

relique : reste sacré d'un saint ou d'une sainte

rentes : impôts que les paysans devaient aux seigneurs

rentes perpétuelles : sommes que versaient les paysans à des seigneurs qui leur avaient prêté de l'argent. Ces remboursements ne devaient s'arrêter jamais, à peine pour le paysan de voir sa terre confisquée

représentants en mission : députés de la Convention envoyés dans les départements pour assurer la victoire de la Révolution

Sainte Ampoule : petite fiole contenant un liquide rouge qui servait à oindre le roi au moment du sacre

Samson : nom du bourreau

sans-culotte : nom donné aux gens des faubourgs parce qu'ils portent un pantalon et non une culotte serrée aux genoux comme les nobles

section : circonscription administrative des grandes villes de plus de 25 000 habitants

« Septembriseurs » : noms des massacreurs de septembre 1792

Stentor : personnage mythologique qui avait une voix aussi forte que celle de 100 hommes

suffrage censitaire : mode d'élection qui exige que les électeurs paient un cens pour pouvoir voter. Seuls les citoyens d'une certaine richesse peuvent voter

taille : impôt direct payé au roi et qui porte sur les propriétés foncières

tocsin : cloche que l'on sonne pour annoncer un danger

tondre : couper la laine des moutons ; ici tondre les paysans veut dire prendre leur argent

Tourangeaux : nom des habitants de la province de Touraine

Tuileries : ancien palais où vécut la Cour de France

Vaucanson : célèbre technicien qui construisit les automates, ancêtres des robots

Versailles : à 20 kilomètres à l'Ouest de Paris, le château de Versailles fut construit par Louis XIV pour échapper à la menace du peuple de Paris

veto : droit de dire « je ne veux pas » réservé au roi. C'est une manière d'empêcher l'Assemblée de voter une loi

Vexilla regis prodeunt : les drapeaux du roi s'avancent

vivat : cris d'applaudissements

voiture à Charlot : du prénom du bourreau

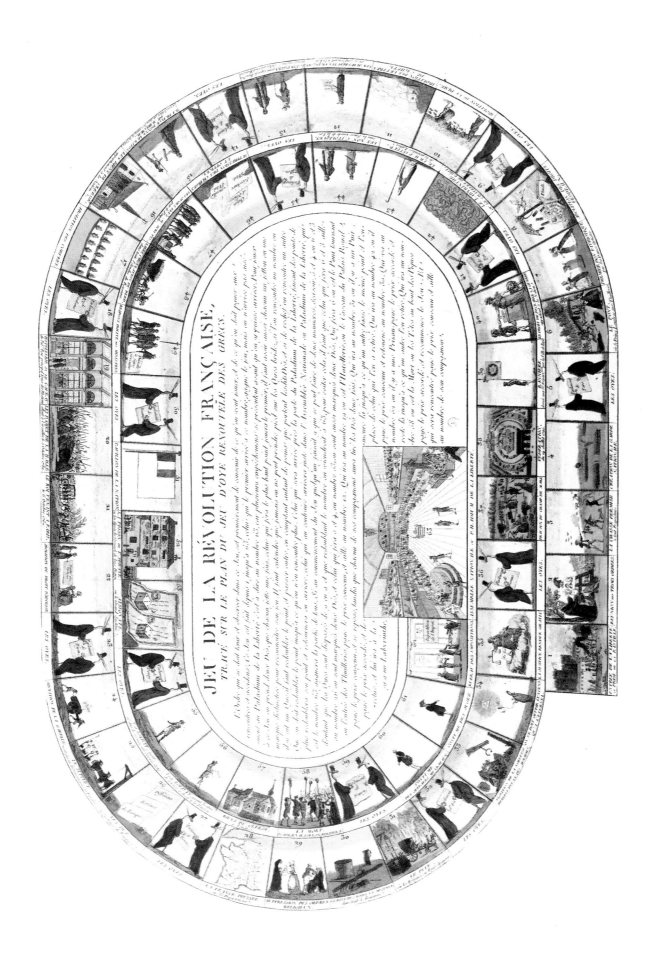

Table

Imprimé en France par I.M.E. - 25-Baume-les-Dames
Dépôt légal 2758-04-89
Collection n° 33 - Édition n° 03
16/5728/7